DAN LIEVER BOERENKNECHT

Clemens Wisse

Dan liever boerenknecht

Westfriesland

Eerste druk in deze uitvoering 2008

www.kok.nl

NUR 344
ISBN 978 90 205 2865 7

HOOFDSTUK 1

„Word nou wakker, Nard!" Mie Buurma schudt aan de arm van haar man, maar die is in zijn eerste slaap en is niet zo makkelijk wakker te krijgen. Ze begint bijna te wanhopen, want stel je nou voor dat ze Nard niet wakker krijgt, wat moet er dan van haar en haar kindje terechtkomen? Ten einde raad wurmt ze zich op haar zij en trekt hem aan zijn donkere haardos en dat helpt. Smakkend en steunend maakt Nard geluiden die erop duiden dat hij bezig is te ontwaken, maar dan keert hij zich op zijn andere zij en slaapt verder. „Nard, luister nou naar me!" smeekt ze bijna snikkend en dan is het net of er bij Nard Buurma een lichtje gaat branden. Hij gaat rechtop zitten en opent de deuren van de bedstee, zodat er wat flauw licht van het lampje dat in de kamer altijd blijft branden, naar binnen valt.
„Wat is er Mie?" vraagt hij verschrikt.
„Je moet Trees halen, Nard," zegt Mie en ze port hem nog maar eens in zijn zij, want ze betwijfelt of het allemaal wel tot hem doordringt.
„Is het zover?"
„Ja... au, daar komt weer een wee, vlug nou!" Door de laatste opmerking van zijn hoogzwangere vrouw wordt Nard pas goed wakker en met één sprong is hij de bedstee uit en schiet hij vlug in zijn broek. Dan pakt hij zijn hemd en zijn kiel en wil de deur uit rennen, maar Mie roept hem terug.
„Vraag of Kee zolang bij me komt, want ik ben bang alleen achter te blijven," zegt ze met een benauwd stemmetje. Naar vroedvrouw Trees Vergunst is het minstens een kwartier lopen en voordat Trees hier is, zal er toch minstens drie kwartier verlopen zijn. Al die tijd alleen blijven terwijl de weeën kort na elkaar komen, durft zij niet. Buurvrouw Kee Wanders heeft bovendien gezegd, dat ze wil helpen als dat nodig is. In het kleine dorp aan de Wijde Laak staan de mensen dag en nacht voor elkaar klaar als de nood aan de man komt. En nu is de nood aan de man en dus durft ze Nard

midden in de nacht naar de buurvrouw te sturen alvorens hij op pad gaat om de vroedvrouw te halen. Ze is al wat gerustgesteld als ze even later gestommel in het portaal hoort en meteen daarop Kee Wanders de deurtjes van de bedstee helemaal opent.

„Ben je zover, Mie?" vraagt ze met een slaperig gezicht.

„De weeën komen vlug achter elkaar, Kee, dus heb ik Nard naar Trees gestuurd."

„Wat versta jij onder 'vlug achter elkaar', Mie?" Kee heeft met haar vijf kinderen enige ervaring met bevallingen.

„Toch zeker om de vijf minuten," reageert Mie en dan moet Kee een beetje lachen omdat ze wel kan merken dat het de eerste is.

„Dan heb je nog even de tijd, meissie," zegt ze moederlijk, maar ondanks haar kalmerende woorden komt ze toch meteen in actie. Ze knikt dan tevreden als ze ziet dat Mie eraan gedacht heeft een zeil onder het laken te leggen. „Ik ga ook eerst maar een grote ketel water op zetten, want als Trees komt en er is geen heet water, dan wordt ze nijdig."

„Dan is het maar goed dat ik Nard gevraagd heb jou te halen, want zelf heb ik er niet aan gedacht."

„Het zou niet zo erg geweest zijn, hoor! Als Trees komt heeft ze nog tijd genoeg om haar voorbereidingen te treffen, want ik denk dat het nog wel een poosje duurt voordat de kleine er is."

„Jij blijft toch wel tot ze komt, hè?" Mie kijkt haar ervaren buurvrouw met een wat angstige blik in haar ogen aan. Ze vindt het maar wat eng om een eerste kindje te krijgen en zeker als ze nog een poosje alleen zou moeten liggen.

„Natuurlijk blijf ik bij je. Maak je nou maar niet zo druk; het komt allemaal best in orde," stelt Kee haar jonge buurvrouwtje gerust en het helpt. Terwijl Kee in de keuken bezig is probeert Mie aan iets anders dan aan de komende bevalling te denken. Ze stelt zich voor dat alles achter de rug is en er een gezonde dochter of zoon in het bakje aan het voeteneinde van de bedstee ligt. Samen met Nard heeft ze naar de geboorte van de kleine toegeleefd. Het is nog maar anderhalf jaar geleden dat de oude knecht van boer Gerrit Nederpeld overleed en Nard diens plaats op hoeve Laakzicht kon innemen. Als nieuwe knecht had Nard recht op het daggeldershuisje en kort daarop konden ze trouwen en het huisje met eenvoudige spulletjes inrichten. En weer enkele maanden later kon ze Nard vertellen dat ze zwanger was.

„Ik heb maar koffiegezet, want daar zullen Trees en Nard ook wel zin in hebben als ze straks komen," zegt Kee als ze terug in de huiskamer is. „Wil jij soms nu al een bakkie?"

„Nee, geef me maar een slokkie water, Kee." Terwijl Mie het zegt komt er weer een wee en enkele minuten later nog een. „Ik heb zelf vijf kinderen gebaard, maar deze bevalling laat ik toch liever aan Trees over, dus houd het nog even op als je wilt," lacht Kee.

Terwijl Mie en nu ook Kee zich wat zorgen maken om de komende gebeurtenis, is Nard bij het huisje van Trees Vergunst aangekomen. Hij klopt op de deur en als hij na twee minuten nog niets gehoord heeft, klopt hij nog eens, maar deze keer iets harder en hij is dan blij als hij geslof in de gang hoort. Er wordt een grendel weggeschoven en vervolgens steekt Trees haar hoofd om de hoek van de deur.

„Je moet me wel even de tijd gunnen om iets aan te trekken, hoor! Dacht je dat ik je niet gehoord had?" Ze pakt een lampje, dat altijd in de gang hangt, en bij het schijnsel daarvan ziet ze wie haar bezoeker is. „Een zenuwachtige vader, zo te zien," lacht ze. „Is het zover met Mietje?"

„Ja, je moet meteen meekomen, Trees, want de weeën komen vlug achter elkaar," brengt Nard zijn boodschap over. En dan stelt Trees hem dezelfde vraag die Kee Wanders kort daarvoor ook aan Mie stelde, maar helaas weet Nard niet hoeveel tijdsruimte er tussen de weeën zat.

„Bij de eerste gaat het niet zo vlot, hoor! Maar ik zal je niet in de zenuwen laten en ga met je mee. Is er iemand bij haar?"

„Ja, de buurvrouw."

„Kee Wanders?"

„Ja, die."

„Dan kan er niet veel misgaan, want bij Kee heb ik er al vijf gehaald, dus die kent het klappen van de zweep."

Ja, Kee Wanders kent het klappen van de zweep, maar als Mie al wat vocht verliest en de weeën nu echt vlug achter elkaar komen, is ze toch blij als ze Trees en Nard binnen ziet komen. Ze zegt het ook en dan gaat de vroedvrouw maar gauw poolshoogte nemen. Ze begint met Mie op haar gemak te stellen en stuurt Nard de kamer uit.

„Ik heb koffiegezet, Trees, wil je een bakkie?" vraagt Kee, maar Trees schudt haar hoofd.

„Zo meteen, eerst moet er water warm gemaakt worden."

„Er staat al een volle ketel warm water klaar, Trees."

„Ik had het kunnen weten met jou in huis; goed gezorgd, Kee. Als je sterke koffie hebt wil ik wel een bakkie, want daar word ik pas goed wakker van en geef Nard er ook maar een, want die is, als alle jonge vaders, nogal gespannen."

„Hoe gaat het, Kee?" vraagt Nard nerveus als de buurvrouw hem zijn koffie brengt.

„Er gaat nog niks, jongen, maar zo heel lang zal het niet meer duren."

„Waarschuw je me als ik binnen mag komen?"

„Dat zal de vroedvrouw wel doen; daar mag ik me niet mee bemoeien. Drink nou maar op en maak je niet zo druk. Waar reken je op?"

„Hoe bedoel je?"

„Nou, wil je een jongen of een meisje?"

„Ik wil een gezond kindje en ik hoop ook dat Mie het niet zo zwaar zal hebben." Terwijl Nard het zegt hoort hij gilletjes uit de kamer komen en hij krimpt ineen van ellende. Kee laat hem vlug alleen om te zien of Trees hulp kan gebruiken, maar Trees concentreert zich op de kraamvrouw. Ze geeft haar aanwijzingen om afwisselend te persen en te rusten. Mie volgt die aanwijzingen goed op met als gevolg dat er even later het geschrei van een pasgeboren kindje tot Nard doordringt. Hij springt op en rukt de deur van de kamer open, maar die wordt meteen weer dichtgedaan. Vertwijfeld kijkt hij naar de gesloten deur en hij wordt zelfs een beetje nijdig dat hij in zijn eigen huis niet eens meer mag gaan en staan waar hij wil. Maar lang wordt zijn geduld niet op de proef gesteld.

„Kom maar binnen, Nard," roept Trees. „Gefeliciteerd met je zoon."

„Is alles goed?" vraagt Nard gehaast en Trees knikt.

„Kijk maar in de bedstee," zegt ze glimlachend. „Mietje heeft zich kranig geweerd, hè meissie?" Ze geeft de kraamvrouw een moederlijk tikje tegen haar wang en geeft het jonge paar dan even de gelegenheid elkaar te kussen.

„Is alles goed met je, schat?" vraagt Nard bezorgd als hij zich over zijn vrouw buigt en hij is opgelucht als ze knikt en hem trots de kleine, die in doekjes gewikkeld naast haar ligt, toont.

„Onze Heintje," zegt ze zacht. Dat het kindje Hein zou heten als het een jongetje zou worden, hebben ze samen al veel eerder besloten. Hij is vernoemd naar Hein Pronk, de vader van Mie. „Ben je blij met je zoon?" Nard knikt en hij krijgt een brok in zijn keel van ontroering. Zijn zoon. Dat kleine roze hoopje mens naast Mie is zijn zoon. Aan het idee moet hij wennen. Hij is vader van een zoon. „Je kijkt zo ongelovig." Mie kijkt haar man glimlachend aan. De geboorte ging niet vanzelf, maar nu ze verschoond en wel tussen de frisse lakens ligt met haar zoontje naast zich en haar man aan de rand van de bedstee, voelt ze zich gelukkig. Ze tuit haar lippen en Nard kust haar innig.

„Ik ben niet alleen blij met ons zoontje, maar ook en vooral dat alles goed gegaan is, schat; heb je nog pijn?"

„Nee, het gaat wel; ik ben alleen wat moe." De laatste woorden van Mie worden opgevangen door de vroedvrouw, die Nard met een zoet lijntje de kamer uit probeert te krijgen, omdat de kraamvrouw moet rusten. Buurvrouw Kee

Wanders gaat naar huis om nog enkele uurtjes te kunnen slapen en Trees ruimt de boel op.

Het is inmiddels halfvier en omdat het in mei op dat vroege uur melkenstijd is, is nog wat slapen er voor Nard niet meer bij. Hij kan zijn kleren aanhouden en naar Laakzicht gaan om te melken. Eenmaal buiten zuigt hij de frisse ochtendlucht in zijn longen en zijn borst zwelt van trots. Niet alleen in en rondom hoeve Laakzicht van Gerrit en Marij Nederpeld is er volop jong leven, maar nu ook in het kleine daggeldershuisje dat bij de hoeve hoort en waarin sinds jaar en dag de knechten van Laakzicht wonen. Ja, heel jong leven zelfs, want Heintje Buurma is nog geen uur oud.

Het belooft een prachtige dag te worden, want het is windstil en het zal niet lang meer duren of de zon verschijnt als een rode bal aan de horizon. In de verte hoort hij het klaaglijke geloei van een koe. Daar moet hij heen en hij versnelt zijn pas om de koeien op te halen en in de koebocht vast te zetten. Het 'hop! hop!' klinkt wat onwezenlijk in de vroege ochtend, maar uit de keel van Nard komt het als gezang, als een blij geluid. Ja, hij heeft niet gelogen toen hij tegenover Mie beaamde dat hij blij is met de geboorte van zijn zoontje. Het lijkt wel of de hele natuur met hem meeleeft, want als het wat lichter wordt is hij het middelpunt van een prachtig fluitconcert. Nard is er vast van overtuigd dat de vogels aanvoelen dat er iets te vieren is en dus fluit hij zelf ook maar een deuntje mee.

„Je doet nogal uitgelaten," zegt Gerrit Nederpeld met een norse kop als hij gapend met het melkgerei de koebocht in komt.

„Daar heb ik ook alle reden toe," reageert Nard met een opgewekt gezicht.

„Welke reden?" De boer fronst zijn wenkbrauwen en kijkt zijn knecht vragend aan.

„Ik ben een klein uurtje geleden vader geworden van een welgeschapen zoon." Nard veronderstelt dat zijn mededeling een verpletterende indruk op de boer zal maken, maar hij heeft het mis.

„Oh! Gefeliciteerd." Zo vroeg in de morgen en net uit zijn bed heeft Gerrit Nederpeld er geen zin in er verder op in te gaan. Hij maakt met het spantouw de poten van zijn eerste koe vast, schuift het melkblok onder zijn achterste, klemt de melkemmer tussen zijn knieën en begint te melken. Zijn vette pet drukt hij tegen het koeienlijf en omdat het melken een routinehandeling geworden is, lijkt het wel of hij nog wat verder soest.

Nard schudt zijn hoofd over de ongeïnteresseerde reactie van de stugge boer. Terwijl hij er zelf vol van is, doet de boer of er niets bijzonders gebeurd is. Of is het krijgen van een eerste zoontje niets bijzonders? Zelf hebben Gerrit en Marij Nederpeld twee dochters van zeventien en negentien en een zoontje van dertien. De meisjes zijn een beetje stug, zoals hun vader, maar verder wel aardig. Dat kun je van Tinus, het zoontje, niet zeggen. Dat is een brutaal en hooghartig ettertje. Hij is net van school en nu al probeert hij de baas over hem, Nard, te spelen. Met boerin Marij Nederpeld kan Nard het goed vinden. Zij is hartelijker dan haar man en heeft ook wat meer gevoel. Enfin, hij moet zich van de stugge houding van zijn baas maar niets aantrekken en zijn opgewekt humeur er zeker niet door laten bederven.

Terug in het daggeldershuisje kan hij de kleine bij daglicht bewonderen. Mie heeft in de tussentijd wat kunnen rusten en ze grijpt zijn hand als hij weer bij de bedstee komt. Hij neemt een handje van de baby in zijn grote eeltige knuist en verbaast zich over de piepkleine vingertjes, waaraan nog kleinere nageltjes zitten. Roze nageltjes aan popperig kleine handjes. „Klein, hè?" raadt Mie de gedachten van haar man en Nard knikt.

„Een wonder is het," zegt-ie. „Zó klein en alles zit erop en eraan en het zit nog op de juiste plaats ook."

„Ja, gelukkig wel," lacht Mie. „Hoe reageerde de boer? Ik

neem tenminste aan dat je het hem verteld hebt."
„Dat heb ik, maar je kent Gerrit. Als hij het met twee woorden af kan, dan zegt-ie er geen drie. Wat een 'dooie' is dat, zeg!"
„Mag ik de tortelduifjes even storen?" vraagt vroedvrouw Trees Vergunst. „Wie gaat er bakeren?"
„Mijn schoonmoeder, Ploon Pronk," zegt Nard en Trees knikt goedkeurend en vindt dat eigen volk altijd plezierig is.
„Waar heb je de melk gezet, Nard?"
„Melk?"
„Ja, Mie zei dat je 's morgens altijd melk van de boer meebrengt."
„Ze heeft gelijk, maar dat ben ik in de consternatie vergeten. Ik ga meteen terug naar Laakzicht."
„Ik hoor van Gerrit dat de kleine er is," zegt de boerin als Nard met de melkkan het achterhuis in loopt. „Is alles goed?"
„Ja, met Mie is alles goed en Heintje is piepklein, maar volgens de vroedvrouw kerngezond. Het is een klein wonder."
„Ik ben blij dat te horen, jongen. Gefeliciteerd, hoor! Ik loop een dezer dagen wel even langs om dat wonder met eigen ogen te aanschouwen." Marij Nederpeld moet een beetje lachen om de woorden van de knecht, maar ze gunt hem en Mie het geluk van harte. Ze giet een extra scheut melk in de kan en beweert dat dat goed voor het zog is.
„Voor wat?" Nard kijkt de boerin niet-begrijpend aan.
„Voor het zog! Ik neem toch aan dat Mie de kleine zelf de borst geeft."
„Ja, natuurlijk!" Nard schaamt zich een beetje voor zijn onkunde en hij vermoedt dan meteen dat er voor een kersverse vader nog heel wat te leren valt. Wel is hij blij met de leuke reactie van de boerin, maar eigenlijk had hij niet anders verwacht. Zij is de tegenpool van haar man en dat blijkt vervolgens weer als Nard hem vraagt of hij de wederzijdse ouders mag waarschuwen.
„Vraag dat maar aan je buurvrouw, want we moeten zo

12

meteen weer vlug doorgaan met toemaken. Het is er nu goed weer voor en daar moeten we van profiteren."

„De boerin is vriendelijk, maar van die rotboer krijg ik het heen-en-weer," zegt Nard zuur als hij terugkomt van de hoeve.

„Niet zo mopperen, Nard; het is vandaag een feestdag, hoor!"

„Je hebt gelijk, Trees, maar de boer vergalt mijn vreugde. Ik mag het heuglijke nieuws niet eens even aan mijn ouders en schoonouders gaan vertellen. We zijn aan 't karren en de boer wil de staal zo vlug mogelijk over het land hebben. Of een uur meer of minder eropaan komt."

„Maar je zult toch naar je schoonmoeder moeten gaan, want zij moet gaan bakeren, dus ga jij haar nu maar halen en laat die boer stikken. Desnoods ga ik hem zelf wel even de oren wassen." Trees houdt niet van halve maatregelen. „Zeg maar niks tegen Mie, want die moet rusten en zich zo min mogelijk opwinden."

„Ben je er nog, Trees?" vraagt Kee Wanders als zij die morgen, na het nachtbraken, even komt kijken hoe de zaken er bij haar jonge buurvrouwtje voorstaan.

„Zo je ziet, Kee. Nard is zijn schoonmoeder gaan halen, want die gaat hier bakeren."

„Als jij hier klaar bent, dan mag je van mij gaan en dan wacht ik de komst van Ploon Pronk wel af, Trees."

„Dat aanbod kan ik niet afslaan, Kee. Er lopen nog twee vrouwen in het dorp op alle dag, dus misschien ben ik vannacht weer de klos."

„Een reden te meer om nog even te gaan maffen," vindt Kee en Trees is het daar graag mee eens. Ze krijgt nog even de kans Nard, die juist van zijn schoonmoeder terugkomt, sterkte voor de komende dagen te wensen. Zij weet dat de mannen de eerste dagen, vooral 's nachts, hun vrouwen moeten bijstaan in het zogen en verzorgen van de pasgeborene.

„Ik geloof dat de geboorte van dat jong jou in je hoofd gesla-gen is," zegt Gerrit Nederpeld zuur als Nard terug op de hoeve komt. „Je lijkt wel een wijf. Laat de vrouwen het toch zelf regelen. Als vent heb je andere verplichtingen en daar wil ik je graag aan houden."

„Maar mijn schoonmoeder moet gaan bakeren," verdedigt Nard zich.

„Je buurvrouw mankeert toch niks aan haar benen?"

„Kee moest Trees Vergunst aflossen en dus bij Mie blijven."

„Niks mee te maken." De boer haakt de driewieldekar aan de zwing en stuurt het paard naar de staal, die een halve kilometer verder aan de ka van het buitenwater ligt. Nard gaat achterop de stortkar zitten en schudt zijn hoofd over zoveel botheid van zijn baas. De afgelopen winter heeft hij tientallen karren mest op de gedroogde baggerstaal gestort en in het vroege voorjaar heeft hij bijna een maand besteed aan het 'kleinmaken' van de staal, dus het vermengen van gedroogde bagger met mest. Een rustig baantje, maar nu moet alles op stel en sprong over het land uitgereden wor-den. Hij laadt de karren en de boer rijdt ze naar het land en harkt er met een haak hoopjes van gelijke grootte vanaf. Tinus Nederpeld, de dertienjarige zoon van Gerrit, is bezig de hoopjes te verspreiden, maar hij loopt meer te spelen dan te werken. Af en toe neemt de boer het van hem over en mag Tinus de lege kar bij de staal afleveren en de volle kar naar het land rijden. Die afwisseling is er voor Nard niet bij. Nee, voor de knecht rest alleen het zwaarste en naarste werk, maar Nard is het gewend en hij stoort zich er niet meer aan. Wel heeft hij er een hekel aan als die snotneus van een Tinus nare opmerkingen maakt. Het lijkt wel of de knaap het paard expres harder laat lopen om hem, Nard, te kunnen bekritiseren wanneer de volgende kar nog niet hele-maal vol is als hij terugkomt bij de staal. Het liefst zou hij het joch de huid vol schelden, maar hij moet zich inhouden. Tinus is het zoontje van de baas en hij, Nard, is maar een eenvoudige knecht die afhankelijk is van de boeren. Als je je als knecht in de ogen van de boer misdraagt en de bons krijgt, dan kom je in hetzelfde dorp nauwelijks nog aan de bak, want de grote boeren houden elkaar de hand boven het hoofd. Nee, horen, zien en zwijgen is het parool.

In het kleine dorp aan de Wijde Laak blijft een gebeurtenis van enige importantie niet lang onopgemerkt, zo ook de geboorte van Heintje Buurma niet.

Die zondagmorgen gaat Nard alleen naar de mis, want Mie moet nog een aantal dagen het bed houden, terwijl haar moeder de zorg voor Heintje en het huishouden op zich neemt. Dorpspastoor Houtman doet, zoals gebruikelijk, zijn uiterste best de dorpelingen op het rechte pad te houden en ze aldus te verzekeren van een plaats in de hemel als zij dit ondermaanse gaan verlaten. Hij heeft de gewoonte aan het begin van zijn preek even stil te staan bij geboorten en sterfgevallen in de afgelopen week. Gelukkig zijn er deze week geen sterfgevallen, maar wel werd de geloofsgemeenschap uitgebreid met twee jonggeborenen, waarvan Heintje Buurma er een is. Voor de meeste dorpelingen is het oud nieuws, want als ze het al niet van de buurvrouw of een kennis gehoord hebben, dan heeft Jans Faber het inmiddels al wel 'rondgetoeterd', vandaar ook dat zij de toepasselijke bijnaam de Toeter gekregen heeft.

Op het pleintje voor de kerk wordt Nard na de mis van alle kanten gefeliciteerd en omdat de rietdekker van mening is dat op die heugelijke gebeurtenis een borrel zal smaken, wordt Nard met vereende krachten De Uitspanning, het dorpscafé van Jaap Polman, in getrokken. Nard heeft de hint van de rietdekker verstaan, maar het geld om een rondje te geven ontbreekt hem.

Lou Otten, alias de Kraai, trekt zich het lot van zijn vriend aan en neemt het rondje voor zijn rekening. Lou heeft zijn bijnaam te danken aan de meester van de dorpsschool. Die vergeleek Lou met een kraai, omdat hij tijdens de zangles meer kraste dan zong. Lou was altijd al een buitenbeentje op het dorp. Hij is midden twintig, maar nog steeds vrijgezel en hij is iemand van twaalf ambachten en dertien ongelukken. Armoe lijdt hij niet, want zijn beurs is altijd goed gevuld. Waar hij het geld vandaan haalt weet niemand precies, maar iedereen heeft een vermoeden. Het is een publiek geheim dat Lou stroopt. Voorts verhuurt hij zich her en der als losse knecht.

„Ik verdien mijn geld voornamelijk met handel," zegt Lou als ze hem ernaar vragen, maar waar die handel uit bestaat vertelt hij er niet bij.

Jans Faber oftewel de Toeter is de klep van het dorp en zij weet bij voorbaat alles over iedereen en dus ook over Lou Otten. „Haai heet wel Kraai, maar as je het maain vraagt ken je hem beter raaf noeme, want haai jat as de rave," weet ze.

„Daar ga je, Nard!" proost rietdekker Gijs Mulder als hij zijn borrel te pakken heeft. „Krijgen is de kunst en lusten zal wel gaan," zegt-ie met zijn rode pretoogjes knipperend.

„Zo denk ik er ook over, maar nou ben jij aan de beurt, Gijs," reageert Lou als ook hij de inhoud van zijn glas in één teug naar binnen gegoten heeft.

„Wie zegt dat?" protesteert Gijs. Van de rietdekker is bekend dat hij goed in de slappe was zit, maar ook dat hij nogal op de centen zit. Hij kijkt bedenkelijk als ook anderen er bij hem op aandringen een rondje weg te geven, omdat hij er tenslotte de aanleiding toe was dat ze nu een feestje rondom de gelukkige vader aan het bouwen zijn. „Ik heb deze week nog geen geld gebeurd, dus komt het niet zo best uit," probeert Mulder eronderuit te komen, maar dan wordt hij van alle kanten voor schriep en erger uitgemaakt, dus geeft hij zich uiteindelijk maar gewonnen. Nu wordt er niet alleen op de gezondheid van Nard en zijn zoontje gedronken, maar ook Gijs deelt in de goede wensen. En Gijs is niet de laatste die een rondje geeft. Uit angst eveneens voor gierigaard en vrek te worden uitgemaakt, tasten anderen ook in de buidel en wordt het op deze zondagmorgen in de mooie maand mei een vrolijke boel in de dorpskroeg. Het gevolg van al die gulheid is, dat Nard meer krijgt dan goed voor hem is, want als zijn glas leeg is, krijgt cafébaas Jaap Polman de opdracht hem meteen weer vol te doen. Men vindt dat Nard de gelegenheid geboden moet worden met iedereen te proosten.

Flink aangeschoten komt Nard tegen etenstijd thuis en Mie, die in de bedstee nog ligt bij te komen van de bevalling, schrikt er een beetje van. „Jij hebt gedronken," constateert zij met een verbaasd gezicht. Zij is het van Nard niet gewend dat hij aangeschoten thuiskomt en het bevalt haar helemaal niet, dat dat nu wel het geval is.
„Een borreltje op de gezondheid van Heintje," reageert Nard, maar hij zegt het met een dubbele tong en Mie kijkt hem met een meewarige blik aan.
„Dat zullen er wel meer dan een geweest zijn," veronderstelt zij en Nard knikt.
„Ze wilden allemaal met me proosten en dat gaat niet met een leeg glas." Nard moet er zelf nog om lachen en hij begrijpt eigenlijk niet waarom Mie zo'n bezorgd gezicht trekt.
„En moest jij dat allemaal betalen?" Van het magere loontje dat Nard op Laakzicht verdient, kan Mie de eindjes maar nauwelijks aan elkaar knopen, dus geld om borrels weg te geven schiet er echt niet over.
„Dat wilde de rietdekker, maar die kwam van een kouwe kermis thuis." Nard schiet in de lach en hij ploft op een stoel neer, want hij staat nog steeds onvast op zijn benen.
„Hoe bedoel je dat? Heeft Gijs Mulder alles betaald?"
„Nee, eerst heeft de Kraai een rondje gegeven en daarna moest de rietdekker eraan geloven."
„Maar die Gijs Mulder is toch een schriep," weet Mie en Nard knikt en vertelt hoe het gegaan is en dat anderen toen zijn voorbeeld wel moesten volgen.
„Niemand wilde voor gierigaard uitgemaakt worden," geeft-ie als aanvullende verklaring.
„Dus jij hebt zelf niks betaald," concludeert Mie en Nard

beaamt het en voegt eraan toe dat hij het allemaal erg gezellig vond en dat hij zijn vriend Lou dankbaar is, dat die hem te hulp geschoten is door het eerste rondje te betalen. Er komt een glimlach op het gezicht van Mie. Nard vond het gezellig en het heeft hem geen cent gekost. Ze heeft er alweer vrede mee, dat hij een wat scheve schaats gereden heeft, maar zij gunt haar trouwe lobbes zijn pleziertje van harte en ook zij vindt het aardig van Lou Otten dat hij voor Nard in de bres gesprongen is. „Je moet de Kraai maar eens uitnodigen de kleine te komen bekijken en hem hier dan ook op een borreltje te trakteren." Ze weet dat Nard vóór de bevalling enkele maatjes jenever heeft ingeslagen, omdat van vroedvrouw Trees Vergunst bekend is dat zij na een geslaagde bevalling altijd graag een 'neutje' drinkt, maar er is nog best een borreltje voor Nard overgebleven. Ze zegt het ook en Nard is het helemaal met zijn vrouwtje eens en hij lacht dat hij er dan zelf ook nog maar eentje zal nemen.
„Maar nu niet," vindt zijn schoonmoeder, die ook op deze eerste zondag na de bevalling bakert. Zij vindt het maar niks dat haar schoonzoon op zondagmorgen in de kroeg gaat zitten drinken terwijl zij het in huis gezellig gemaakt heeft door een koekje bij de koffie te presenteren. Het zakje koekjes dat zij de vorige dag bij de bakker gekocht heeft, heeft ze uit haar eigen zak betaald. Zij is die Lou Otten ook geenszins dankbaar dat hij het zogenaamd voor Nard opgenomen heeft door de eerste borrels te betalen. Voor haar is hij de aanstichter van alles, maar zij houdt haar mond er maar over. De jongelui van tegenwoordig hebben andere normen en waarden dan zij in haar jonge jaren.
Dat ervaart zij meteen al diezelfde zondagmiddag als Lou Otten vóór melkenstijd langskomt om, zoals hij het zelf zegt, te controleren of zijn goede vriend niet wat overdreven heeft in het aanprijzen van zijn 'gebroed'. Een uitnodiging heeft hij niet afgewacht, maar voor Nard en Mie is hij daardoor niet minder welkom.
„En, wat vind je ervan?" vraagt Nard, zijn vriend trots de

kleine Heintje tonend, maar die zet meteen een keel op en dan moet Lou lachen.

„Je kan je zoontje beter vragen hoe hij mij vindt; als je het mij vraagt schrikt hij zich een ongeluk van mijn rare tronie." Lou voelt zich wat onwennig in de kraamkamer en hij kan aan het rode luid krijsende koppie niets moois ontdekken, dus maakt hij maar een grap over zijn eigen konterfeitsel.

„Laten we er maar een borrel op drinken," stelt Nard voor en hij let dan niet op de bedenkelijke blikken van zijn schoonmoeder en die blikken worden nog bedenkelijker als ze Lou hoort zeggen: „Je ken er beter van piese dan van 'n korsie kaas, dus schenk maar in." Het wordt een vrolijke kraamvisite, maar Nard moet op een gegeven moment afhaken om te gaan melken. Zijn middagdutje is erbij ingeschoten, maar dat vindt-ie niet erg. Hij beziet het leven van de zonnige kant en als hij wat onvast ter been in de koebocht verschijnt, loopt hij nog na te grinniken over alle grollen en grappen van zijn vriend Lou Otten.

„Ik heb de koeien alvast maar opgehaald, want jij bent niet alleen erg laat, maar ook nog bezopen als ik het goed zie," zegt Gerrit Nederpeld nors als hij Nard ziet komen. „Wat heb jij uitgevreten, man?"

„Een borreltje gedronken op de voorspoedige bevalling van mijn vrouw," zegt Nard met een brede grijns op zijn gezicht. De norse boer kan zijn goede humeur niet bederven.

„Als je maar weet dat ik een hekel heb aan zuiplappen. Deze keer zal ik het door de vingers zien, maar laat het niet weer gebeuren!" Welke de consequenties zouden zijn als het nog eens zou gebeuren, vertelt Gerrit er niet bij, maar de opmerking van de zure boer ontnuchtert Nard wel enigszins. Hij kruipt vlug onder zijn koe en hij hoopt maar dat de boer er niet meer op terug zal komen. Thuis zal hij er maar niks over vertellen, want vooral zijn schoonmoeder zou dan wel weer gaan beweren dat zij het voorzien heeft. Nee, aan zijn schoonmoeder heeft hij wel gemerkt dat zij het niet op borrels en ook niet op zijn vriendschap met Lou Otten heeft.

Mie is veel milder dan haar moeder. Zij gunt hem zijn pleziertje en ze moet ook lachen om de losbandigheid van zijn vriend. Zijn goede humeur keert langzamerhand terug, maar wordt dan weer wreed verstoord door zijn onhandige manoeuvre bij het legen van de volle emmer door de teems op de gereedstaande melkbus. Meer dan de helft gaat ernaast en Gerrit Nederpeld die het ziet, komt vloekend onder zijn koe vandaan en verzekert hem dat hij de kosten van de verloren gegane melk op zijn weekloon zal inhouden. „Je bent onbekwaam door het zuipen," briest hij.

„Wat kijk jij kwaad," zegt Lou als Nard terugkomt van het melken. Zelf is-ie op de bank achter het huisje lekker in het zonnetje gaan zitten. „Heb je ruzie met Gerrit gehad?"
„Dat kun je wel zeggen, ja. Maar het is mijn eigen stomme schuld. Vanmiddag had ik die borrels moeten laten staan."
„En mij alleen laten drinken?" Lou kijkt zijn vriend met een verontwaardigde blik aan.
„Ik liep te waggelen in de bocht en kreeg van de boer de wind van voren, maar pas echt nijdig werd-ie toen ik de helft van de melk morste toen ik de emmer door de teems leegde."
„Schelden doet geen pijn, jongen," vindt Lou, maar Nard schudt zijn hoofd.
„Mij wel, want die rotboer is zó driftig dat hij me eruit mietert als ik nog eens met een scheve neus op het werk verschijn en de kosten van de verloren gegane melk zal hij op mijn weekhuur inhouden."
„Man, trek het je niet aan. Die paar centen kom je ook wel weer te boven."
„Ja, jij kunt makkelijk praten; jij hebt kind noch kraai om voor te zorgen. Wij hebben kosten gemaakt voor de bevalling en de vroedvrouw moet ik ook nog betalen."
„Je hebt ongelijk, Nard," lacht Lou. „Ik heb één kraai om voor te zorgen en dat ben ik zelf. Lach nou maar en neem anders een borrel, want die treurige kop van jou bevalt me

niet." En de woorden van de Kraai missen hun doel niet, want er komt een brede lach op het gezicht van de jonge vader.

„Weet je dat ik jou vaak benijd, Lou? Jij bent van niemand afhankelijk."

„Gelukkig niet van die rotboeren," beaamt Lou. Nee, de Kraai heeft alleen met zichzelf rekening te houden en dan nog alleen voor kost en kleer. Huur hoeft hij niet te betalen, want het kleine huisje aan de rand van het meer was eigendom van zijn vader en is nu van hem. Het gezinnetje telde vier kinderen en Lou was de jongste. Een broer en twee zusters zijn getrouwd en wonen ver weg. Lou is vrijgezel gebleven en na de dood van eerst zijn vader en later zijn moeder, is hij alleen in het huisje blijven wonen. Hij heeft daar kippen, eenden, ganzen, konijnen en een geit voor de melk. De Duitse herder Caro is zijn trouwe metgezel.

„Wil jij nog een borrel?" vraagt Nard, maar Lou schudt zijn hoofd.

„Nee, laat ik dat maar niet doen, want dan breng ik jou ook weer in de verleiding. Eerlijk gezegd heb ik meer trek in wat te eten."

„O, dat komt goed uit, want we gaan zo meteen boterhammen eten. Ik zal mijn schoonmoeder wel vragen ook voor jou een stapeltje boterhammen te snijden." Dat laatste doet hij vervolgens ook, maar Ploon Pronk trekt een vies gezicht.

„Blijft die stroper nou nog eten ook?"

„Ja, moeder, die blijft eten. Het is mijn beste vriend, dus trek nou niet zo'n bedenkelijk gezicht."

„Wat je een beste vriend noemt; hij voert je dronken en komt dan hier ook nog de boel opdrinken en opeten." Met duidelijke tegenzin snijdt Ploon wat extra boterhammen voor Lou en er kan geen lachje vanaf als de vrijbuiter haar uitbundig prijst voor haar lekkere koffie.

Na het eten zitten Nard en Lou nog wat te genieten van de mooie avond op de bank achter het huis. Er ligt een klein lapje grond tussen het huisje en de sloot en daar is in de winter de beerput overheen gegaan. Het is goede mest en de aardappelen en de groenten doen het dan ook goed. Nard had liever een groter stuk grond gehad, maar helaas was dat niet mogelijk. Meteen achter de sloot beginnen de uitgestrekte weilanden van Laakzicht, de hoeve van Gerrit Nederpeld. Evenals de ochtend is ook de avond windstil en de vogels in de bomen en struiken rondom het huis doen hun best hun territoria te verdedigen door zich luidkeels te laten horen. De forse stapel boterhammen heeft Nard weer volledig ontnuchterd, maar ondanks de mooie avond en het vredige uitzicht over de uitgestrekte weilanden met herkauwend vee heeft hij een beklemmend gevoel overgehouden aan de nare confrontatie met de boer. En weer benijdt hij zijn vriend, die genietend de rookwolkjes nakijkt die hij uit zijn pijp trekt.

„Hoe komt het toch dat jij altijd een goedgevulde beurs hebt, Lou?" vraagt hij.

„Ik heb niet veel nodig en dus geef ik ook niet veel geld uit, Nard. Ik heb één zondags pak, dat ik de afgelopen tien jaar maar twee keer aangehad heb. Met mijn werkkleren doe ik erg lang en de kost haal ik zelf op."

„Door te stropen?"

„Ook, maar uit de tuin haal ik de groente, de geit geeft me melk en af en toe slacht ik een eend of een konijn, zodat er naast vis ook vlees in de pan komt."

„En het geld?"

„Dat verdien ik met wat te klussen en dan natuurlijk de handel."

„Noem dan eens iets?" Het is Nard niet echt duidelijk waar de handel van zijn vriend uit bestaat. Natuurlijk verkoopt hij wel eens wat eenden en konijnen, maar daar kun je ook niet vet van soppen.

„Nogmaals, Nard: ik heb niet veel nodig, maar als je een voorbeeld wilt dan moet je denken aan de opbrengst van de vele maaltjes vis die ik bij villa 'De Meerkoet' van de rijke fabrieksdirecteur Johan van Beusekom aflever."

„Ken jij die Van Beusekom persoonlijk?"

„Meestal heb ik te maken met de huishoudster, maar ik heb hem al diverse keren ontmoet. Het is een aardige kerel, maar het belangrijkste is dat-ie van vis houdt." Het laatste heeft Lou met een lachend gezicht gezegd.

„Ik zou ook wel iets voor mezelf willen hebben om niet steeds afhankelijk te hoeven zijn van Gerrit Nederpeld. Zijn norse kop ben ik zo zat als gespogen spek, maar ik moet me voegen naar zijn nukken en kuren en nu zelfs ook al naar die van zijn zoon Tinus, de snotneus. Maar ik moet me gedeisd houden, want als ik er bij Gerrit uitvlieg, dan kom ik in dit dorp nergens meer aan de bak, want jij weet evengoed als ik dat de rijke boeren elkaar de hand boven het hoofd houden. Ik heb een vrouw en nu ook een kind en er zullen er nog wel meer komen."

„Hoe meer kinderen, hoe dunner de spoeling en hoe kleiner de kans ooit op eigen benen te kunnen staan, Nard."

„Je hebt wel gelijk, maar kinderen krijgen kun je niet voorkomen."

„Natuurlijk wel. Als je achter het gebreide broekje ligt, dan bedenk je je nog maar drie keer en dan draai je je gewoon om." Lou kijkt zijn vriend lachend aan, maar die schudt zijn hoofd.

„Ik kan wel merken dat jij vrijgezel bent."

„Luister, Nard. Jij hebt nu een zoon en dus heb je ervoor gezorgd dat je je geslacht in stand houdt en bovendien een opvolger in je eigen zaak hebt."

„Dat laatste klinkt mooi, Lou, maar dan moet je wel eerst een eigen zaak hebben." Toch zetten de woorden van zijn vriend hem aan het denken en hij neemt zich voor zijn best te doen het bij dit ene kind te laten. Maar of het lukt?

De eerste week na de bevalling is er nog wat aanloop van familie en bekenden en dan komt ook de boerin even kijken.

„Zo Mie, hoe staat het ermee? Ik heb Nard beloofd even langs te komen om de kleine Hein te bewonderen. Nou, daar ben ik dan en ik heb wat eieren voor je meegebracht." Marij Nederpeld zet het zakje met eieren op de tafel en Ploon Pronk haast zich een stoel voor de boerin bij de bedstee te zetten.

„De kleine ligt al wat te pruttelen in zijn bakje, want het is bijna tijd voor zijn voeding," zegt Mie en ze dankt de boerin voor de eitjes.

„Is-ie nogal zoet of huilt-ie veel?" wil de boerin weten en dan kan Mie haar verzekeren dat het een zoet kindje is. „Alleen als-ie honger heeft, kan hij een flinke keel opzetten en dat gebeurt ook 's nachts en dan moet Nard eraan geloven om hem uit zijn bakje te halen en hem bij me aan de borst te leggen."

„Dan zal Nard zondagnacht wel moeite gehad hebben om wakker te worden, want volgens mijn man had hij nogal diep in het glaasje gekeken."

„Heeft de boer dat gemerkt?" vraagt Mie verbaasd.

„Nou en of! Nard kwam waggelend de bocht in en toen hij zijn emmer door de teems wilde legen, goot hij er meer dan de helft naast."

„Daar heeft hij mij niks van verteld."

„Nee, hij is wel wijzer. Eén keer op zijn kop krijgen was hem kennelijk voldoende."

„Was Gerrit erg kwaad?"

„Jazeker! Wij houden niet van personeel dat zich aan drank te buiten gaat."

„Maar het komt toch nooit voor dat Nard drinkt."

„Gelukkig niet, want dan was-ie er al eerder uitgevlogen." Vooral van die laatste opmerking schrikt Mie erg en als de boerin weg is moet ze even bijkomen. Maar dan wrijft haar moeder alweer zout in de verse wond door ook af te geven op haar schoonzoon.

„Als-ie straks op straat staat, dan weet jij hoe het komt. Die Kraai, die mooie vriend van hem zou ik, als ik jou was, maar een beetje buiten de deur houden, want die knaap heeft een heel slechte invloed op Nard."

„Overdrijf nou niet zo, moe! Nard drinkt nooit een druppel. Iedereen staat nu wel erg snel met zijn of haar oordeel klaar."

„Maar schrik jij dan niet van de opmerkingen van Marij?"

„Ja, natuurlijk schrik ik daarvan, maar ik vind het raar dat de boer en nu ook de boerin er zo'n ophef over maken. Als hij nou vaker aangeschoten op de hoeve zou komen, zou het wat anders zijn, maar die goeie jongen is zo serieus als wat en dus blijf ik het flauw vinden hem zo af te vallen, ook van jou." Mie moet een traan wegpinken van verontwaardiging.

„Ik hoorde van de boerin dat ze naar de kleine is wezen kijken. Wat vond zij van onze zoon?" Nard kijkt zijn vrouw vragend aan en dan valt het hem op dat ze rode ogen heeft.

„Heb je gehuild?" vraagt-ie dan ook.

„Och, laat me maar, het gaat wel over. De boerin heeft nauwelijks naar Heintje gekeken, maar begon meteen over jouw gedragingen van afgelopen zondag."

„Wat dan?" schrikt Nard. Om Mie niet te verontrusten heeft hij haar niets over de nare opmerkingen van de boer verteld en nou begint Marij erover te kletsen. Dat valt hem van haar tegen.

„Jij weet zelf het beste wat je hebt uitgespookt."

„Ik drink nooit en dus had ik niet in de gaten dat de borrels me in de benen gezakt waren en liep ik niet helemaal recht en ze zal dan ook wel verteld hebben dat ik wat melk gemorst heb."

„Meer dan een halve emmer!"

„Ja, ja! Ze maken van een scheet een donderslag. Of ik er een gewoonte van maak met een slok op rond te lopen."

„Ik vind ook dat ze overdrijven, jongen, maar ik ben er wel van geschrokken. De boerin liet doorschemeren dat je de bons krijgt als het weer gebeurt."

„Zo'n vaart zal het niet lopen, meissie. Bovendien ben ik niet van plan nog eens met iedereen te gaan proosten. Ik weet nu wat ik wel en niet kan hebben."

„Ik ben niet boos op je, hoor!" zegt Mie zacht en ze trekt Nards hoofd naar zich toe en kust hem innig op zijn mond. Aan het eind van de week is ze weer op de been en herneemt het leven zijn gewone gangetje, maar wel met dit verschil dat er nu een klein schreeuwertje in het bakje achterin de bedstee ligt en zowel Nard als Mie uit de slaap houdt. Toch hebben de gedragingen van Nard op die vorige zondag nog een naar gevolg. Als Nard Mie zijn weekloon overhandigt blijkt de boer woord te hebben gehouden en de kosten van de gemorste melk te hebben ingehouden. Ze zijn er beiden boos en verdrietig om.

HOOFDSTUK 2

Mie Buurma staat Nard al in het deurgat op te wachten als hij voor de middagprak thuiskomt van de boer. Ze straalt, want ze heeft groot nieuws en daar wil ze haar man meteen deelgenoot van maken.

„Heintje heeft zijn eerste stapjes gezet, Nard," zegt ze lachend. „Hij trok zich op aan een stoel en kwam met uitgestrekte armpjes op me af."

„En jij ving hem op, want anders was-ie zeker tegen de vloer gegaan," veronderstelt Nard en Mie knikt.

„Dat wel, maar hij kan lopen. Wat gaat het toch hard, hè?"

„Ik geloof je graag, schat, maar ik wil het toch zelf ook wel zien." Meteen loopt hij door naar binnen, waar Heintje zich in een hoekje van de kamer vermaakt met een voetenbankje. Hij schuift ermee over de vloer en gaat erop zitten. Nard gaat een eindje van hem vandaan op zijn hurken zitten, spreidt zijn armen en roept hem en dan levert Heintje hem het bewijs dat moeder Mie gelijk heeft. Hij schuift het bankje naar een tafelpoot, trekt zich daaraan op en komt met onzekere dribbelpasjes op zijn vader af. Nard vangt hem op en tilt hem tot hoog boven zijn hoofd, zodat de kleine schatert van het lachen.

Stoeien met vader is het liefste wat hij doet en vandaag krijgt hij een dubbele portie van die pret, want Nard is even trots op hem als Mie. „Je hebt gelijk, Mie, het gaat allemaal erg snel. Nu loopt-ie al en straks gaat hij zijn eerste woordjes zeggen."

„Ja, Nard, voor je het goed en wel beseft is het een hele kerel." Mie zucht en Nard kijkt haar dan onderzoekend aan. Dan pas valt hem op, dat ze, ondanks haar blijde begroeting, nogal bleek ziet. Hij weet niet dat het lopen van Heintje niet haar enige nieuwtje is.

„Voel je je wel goed, schat?" vraagt hij bezorgd.

„Een beetje misselijk; vanmorgen moest ik overgeven en jij weet wel wat dat betekent."

Ja, Nard weet zeker wat dat betekent, maar hij weet niet zeker of hij er blij om moet zijn. 'Hoe meer kinderen, hoe geringer de kans om voor jezelf te beginnen,' zei Lou Otten na de geboorte van Heintje en daar heeft hij lang over nagedacht. De wens om zelf een bedrijfje, hoe klein ook, te starten heeft hij al een hele poos, maar een vast omlijnd plan hoe je dat zou moeten opzetten, heeft hij niet. Wat hij wel weet is dat je wat centen achter de hand moet hebben om een bedrijfje te beginnen. Kindertjes zijn leuk, maar ze kosten geld en... Zijn gedachten worden onderbroken door de vragende blik van Mie.

„Je zegt niks; ben je niet blij?" Er klinkt wat teleurstelling door in de vraag van zijn vrouw en Nard heeft het in de gaten. „Ja, natuurlijk ben ik blij, maar ik dacht ook even aan de toekomst."

„Hoe bedoel je dat?"

„Nou ja, een groot gezin kost veel geld en je weet dat ik ooit iets voor mezelf zou willen beginnen."

„Wat praat je nou over een groot gezin; we hebben pas één jongetje." Mie kent de grote wens van haar man om, net als Lou Otten, onafhankelijk te worden van de boeren, maar nu overdrijft hij toch een beetje. Zijn reactie is een domper op haar vreugde en Nard ziet het.

„Vind je het vervelend dat ik niet meteen een gat in de lucht spring, schat?" Nard slaat zijn armen om zijn vrouw heen en drukt haar innig tegen zich aan. „Nog een kindje van jou en mij vind ik erg fijn, hoor!" zegt-ie zacht. Hij heeft er alweer spijt van dat-ie zo lauw reageerde en hij geeft zijn lieve vrouw maar gauw een kus en streelt haar over haar wang waarop nu weer een lichte blos komt.

„Weet ik toch wel," zegt Mie, haar hoofd tegen zijn schouder drukkend. „Een eigen bedrijf is voor ons soort mensen niet weggelegd, jongen. Laten we maar tevreden zijn met wat we hebben." En als Heintje naar haar toe kruipt en zich aan haar rok omhoogtrekt, tilt ze hem op en dan maken ze met hun drieën een rondedansje.

Maart roert zijn staart en april doet wat hij wil. Het zijn oude wijsheden die maar al te vaak uitkomen. Mooie lentedagen worden afgewisseld door dagen met storm, regen en hagel. Maar een rechtgeaarde buitenman laat zich door de grillen van de natuur niet ontmoedigen. Na een drukke dag op de hoeve is Nard 's avonds in zijn tuintje te vinden. Nog steeds vindt hij het jammer dat het maar zo'n klein stukje is, maar het gezegde luidt dat je moet roeien met de riemen die je hebt en dat doet Nard. De tuinbonen komen al op en de vroege aardappelen heeft hij inmiddels gepoot. Nog een paar weken wachten en dan kunnen ook de sperziebonen gelegd worden. De snijbonen komen aan stokken te staan. Ondanks de geringe omvang van de tuin is Nard er in het voorjaar toch druk mee, maar dat komt ook omdat hij geen onkruid duldt in zijn tuin.

De tijd van oogsten valt samen met de hooibouw en dan worden er in het boerenland lange dagen gemaakt. Vooral als het warm weer is, wordt er veel van de krachten van het werkvolk gevergd.

„Ik verwacht tegen de avond regen, Nard, dus wil ik vandaag zoveel mogelijk hooi op hopen gezet hebben. Iedereen die kan helpen wil ik in het hooiland zien, dus wil je ook Mie vragen te komen?" Het is gebruikelijk dat alle krachten worden gemobiliseerd als er regen dreigt en boer Nederpeld wijkt van dat gebruik niet af.

„Mie is al vijf maanden zwanger, Gerrit," zegt Nard, maar die mededeling maakt kennelijk weinig indruk op de boer.

„En wat wil je daarmee zeggen?" Als Gerrit Nederpeld zijn kin naar voren steekt, betekent dat dat hij zich ergert.

„Dat Mie niet kan helpen."

„Omdat Mie vijf maanden zwanger is kan ze niet helpen." Gerrit kijkt zijn knecht met een vernietigende blik aan. „De vrouwen van tegenwoordig zijn ook niks meer waard. Neeltje, de vrouw van onze vorige knecht, hielp tot drie weken vóór de bevalling nog in de hooibouw."

„Maar dat is gevaarlijk, Gerrit!" gaat Nard ertegen in,

doch de boer schudt zijn norse kop.

„Met die bakerpraatjes van jou heb ik niks te maken, Nard. Zorg jij er nou maar voor dat Mie straks mee naar het hooiland gaat." De boer draait zich om en geeft er zodoende blijk van, dat voor hem de kous daarmee af is.

„Complimenten van de boer en of je maar mee naar het hooiland gaat," zegt Nard even later tegen zijn vrouw.

„Heb jij hem dan niet verteld dat ik vijf maanden zwanger ben?" Mie kijkt haar man enigszins verwijtend aan.

„Natuurlijk heb ik dat gezegd, schat, maar die rotboer trekt zich daar niks van aan. Hij vertelde dat de vrouw van hun vorige knecht tot drie weken vóór de bevalling nog mee naar het hooiland ging."

„Ik doe het niet, hoor!"

„Jij kent Gerrit Nederpeld, Mie, en dan weet je ook dat hij er niet voor terugdeinst mij de bons te geven als we niet precies doen wat meneer van ons verlangt."

„Vind jij dan ook dat ik moet gaan?"

„Ik ben het er niet mee eens, maar je kent de consequenties." Nard moet op zijn tanden bijten om niet uit te barsten in woede om de onredelijke eis van de boer. Meer dan ooit verlangt hij ernaar iets voor zichzelf te beginnen en dus niet langer afhankelijk te zijn van de nukken en kuren van de boeren.

Slot van het liedje is dat Mie toch het hooiland in gaat.

„Heb je zin in een lekker maaltje paling, Nard?" vraagt Lou Otten als hij die avond, samen met zijn hond Caro, bij het huisje van zijn vriend aanklopt.

„Wie zou daar geen zin in hebben," reageert Nard, die samen met Mie op de bank achter hun huisje zit uit te blazen van de hete en drukke dag in het hooiland.

„Maar je moet er wel wat voor doen, hoor!"

„Wat dan?"

„Helpen bij het rijgen van de peuren en dan de plas op gaan om vannacht te peuren."

„Jij hebt je rust nodig, Nard. Morgenochtend moet je om vier uur weer gaan melken." Mie vindt het niet zo'n goed voorstel van de Kraai.

„Ik moet iedere ochtend om vier uur gaan melken, dus zou ik nooit kunnen gaan peuren."

„Dat betekent dus dat je het doet," concludeert Lou en Nard knikt. Het water loopt hem al in de mond als hij denkt aan versgerookte paling, maar als ze genoeg vangen zullen zij er zelf maar weinig van opeten. Paling brengt goed geld op en als hij met Lou meegaat, zullen ze de winst delen. Sparen wil hij om zijn doel, een eigen bedrijfje, ooit te kunnen verwezenlijken. Hij zegt het ook tegen Mie en die begrijpt wel dat haar verweer nu toch niks meer uithaalt. Zij kent de wens van Nard, maar zij weet ook dat het een luchtkasteel is waar hij zijn zinnen op gezet heeft.

Na de warme dag staat er die avond geen zuchtje wind en ligt het meer er als een gladde spiegel bij. De enige verstoring van dit rimpelloze oppervlak wordt veroorzaakt door de riemen van de roeiboot met Lou, Nard en de herder Caro erin.

Caro staat voorin de boot en spitst zijn oren bij elk geluid van een opspringend visje. De tong hangt ver uit zijn bek en hij doet zo denken aan het boegbeeld van een middeleeuws vaartuig.

Voor hun vertrek naar een goed stekkie hebben Lou en Nard enkele peuren geregen. Als ze op hun stek aankomen, steken ze lange stokken in de bodem en Lou geeft Caro dan de opdracht stil op de bodem van de boot te gaan liggen. Hij weet dat het op die plek niet te diep is en dat de bodem erg geschikt is om te peuren. Zonder herrie te maken installeren ze zich, steken een sigaar op tegen de muggen en laten de peur, die met een lijn aan een korte stok bevestigd is, in het water zakken. Door de kluit wurmen langzaam op en neer te bewegen worden de alen aangetrokken en het duurt niet lang of de eerste palingen belanden in de grote teil die Lou met een touw aan de zijkant van de boot gehangen heeft. „Het gaat goed," constateert hij tevreden als de bodem van de teil geheel bedekt is met kronkelende palingen. „Als dat zo doorgaat beuren we er een aardig centje voor en houden er zelf ook nog een vette bek aan over."

„Als we met peuren of iets anders zoveel geld zouden kunnen verdienen dat ik iets voor mezelf zou kunnen beginnen, dan zou ik pas echt gelukkig zijn, Lou."

„Ben je zo ongelukkig, Nard?" Lou kijkt zijn vriend een beetje spottend aan. Hij weet dat Nard het idee van een eigen bedoening maar niet uit zijn hoofd kan zetten, maar hij weet ook dat het er wel nooit van zal komen, tenzij hij een erfenis van een onbekende rijke oom uit Amerika zou krijgen.

„Ongelukkig is een groot woord, maar het zou me heel wat waard zijn verlost te worden van die rotboer."

„Heb je weer een nare ervaring met Gerrit gehad?"

„Vandaag was Mie de klos. Ze is vijf maanden zwanger, maar ze moest en zou mee het hooiland in."

„En daar heb jij bezwaar tegen gemaakt," neemt Lou aan en Nard knikt.

„Het hielp niks. De vrouw van hun vorige knecht ging drie weken vóór de bevalling nog mee het hooiland in, maar hij vergeet erbij te vertellen dat dat al meer dan dertig jaar geleden is. Toen waren knechten niks meer dan slaven."

„Als ik jou zo hoor, dan is er niet veel veranderd."

„Nee, dat is zo en daarom wil ik er weg. Die vent hangt me ellenlang de strot uit met zijn norse kop. Maar Mie zegt dat ik luchtkastelen aan het bouwen ben en ik denk dat ze helaas gelijk heeft."

„Kop op, Nard! Kijk eens hoe onze buit groeit." Op dat moment komt Caro, die lekker heeft liggen slapen, overeind, strekt zijn poten en spert zijn muil wijd open en zijn geeuw werkt aanstekelijk.

„Die hond maakt me aan 't gapen," lacht Nard en als Lou dan zijn horloge raadpleegt ziet hij dat het al over drieën is. Ze besluiten te stoppen en dat is wel nodig ook, want om vier uur moet Nard op Laakzicht zijn om te melken. Met nog vele uren werken voor de boeg, verlangt hij nu al naar zijn middagdutje, want terwijl Lou naar het aanlegsteigertje voor zijn huis roeit, zit hij, met de teil halfvol kronkelende palingen tussen zijn knieën, te knikkebollen op zijn plank.

De jeugd van het dorp is weer in alle staten, want in de vaart die naar het dorp leidt, is de schuit met daarop de draaimolen al in aantocht. Zoals elk jaar verhit de naderende kermis de gemoederen van vooral de dorpsjeugd. De ouderen doen er wat lacherig over, maar in hun hart zijn ze even gespannen als de jongeren. Kermis betekent een keertje loskomen van de dagelijkse sleur. Een keertje hossen en onbekommerd feestvieren. Onbekommerd, maar niet ongevaarlijk, want 'als de drank is in de man, is de wijsheid in de kan' en dat wordt op boerenkermissen nogal eens vergeten. Een koel glas bier gaat er natuurlijk wel in als je een droge keel en een nat bezweet lijf hebt van het dansen en hossen. Pastoor Houtman kent zijn pappenheimers en hij waarschuwt dan ook vanaf de kansel voor overmatig drankgebruik en hij adviseert de beminde gelovigen de messen vooral thuis te laten. Ook dokter Risseeuw laat af en toe een waarschuwend geluid horen, want het is hem een gruwel de bloederige wonden van de kemphanen te moeten verbinden.
Maar vooraf laat niemand zich afschrikken door de goedbedoelde waarschuwingen en geeft men zich in volle overgave over aan het nogal botte vermaak. Kinderen dreinen bij hun ouders om een paar centen waar zij een kaneelstok, een zuurbol of een oliekoek voor kunnen kopen.

Mie Buurma heeft geen zin zich met haar dikke buik in het feestgewoel te storten en dus blijft Nard ook maar thuis tot Lou Otten komt vragen of hij zin heeft even mee naar het dorp te gaan. „Je moet niet altijd blijven potten, want een mens heeft op z'n tijd een verzetje nodig," lacht-ie als hij het bedenkelijke gezicht van zijn vriend ziet.

„Ik laat Mie liever niet alleen, Lou," zegt Nard en dan ziet Mie aan de ogen van haar man dat hij er eigenlijk wel zin in zou hebben. Ze gunt hem zijn pleziertje, maar ze wil wel dat hij het netjes houdt en vooral niet te diep in het glaasje kijkt. „Dus je vindt het niet erg als ik een uurtje met Lou meega?" vraagt-ie voor alle zekerheid en dan schudt Mie haar hoofd. „Als je, zoals ik al zei, maar niet te veel drinkt, want ik heb geen zin om van jouw gesnurk wakker te liggen."

Nard belooft het en dan gaan de twee gezworen kameraden op weg naar het dorp. Eerst lopen ze even over het kermisterrein en demonstreert Nard zijn kracht bij het tonkneppelen, maar Lou trekt hem mee, want het duurt hem te lang voordat het begeerde prijsblokje uit de kapotgebeukte ton rolt. Bij de kop van Jut duurt het minder lang om te tonen wat je mans bent en Lou is heel wat mans. Al bij de eerste klap knalt het slaghoedje en krijgt hij zijn rozet opgespeld. Terwijl Nard nog bezig is, verdringen enkele getrouwde vrouwen in de leeftijd van Lou en Nard zich rond de Kraai en bewonderen zijn kracht. Lou is een ruige vrijbuiter die ze onder normale omstandigheden liever een beetje uit de weg gaan, maar het is nu kermis en ze hebben al een glaasje op. Lou is in hun ogen een knappe vent en nog beresterk ook en... hij is nog steeds vrijgezel, dus durven ze hem in zijn spierballen te knijpen zonder een jaloerse echtgenote op hun weg te vinden. Onder hen is Rietje Deuning. Zij was vroeger een van de mooiste meisjes van het dorp en nog is het een knappe jonge vrouw. Niemand heeft ooit begrepen waarom zij uitgerekend met de 'meelmuis', de bleke en schriele bakkerszoon Theo Noordam, trouwde, terwijl ze aan iedere vinger wel een vrijer kon krijgen. Theo is maar wat trots op zijn mooie vrouwtje en het zint hem dus helemaal niet dat zij open en bloot in de spierballen van de Kraai staat te knijpen. Hij trekt haar mee en dan krijgen ze een beetje woorden.

„Niet nijdig worden, Theo," roept Lou. „Kom mee, dan krijg

je een borrel van me." Die oproep bereikt niet alleen de oren van Theo Noordam, maar van alle omstanders en op weg naar De Uitspanning krijgt hij een hele horde feestvierders achter zich aan. Het nijdige bakkertje en de ruige Kraai met Rietje aan zijn arm voeren de stoet aan. Nard loopt er grinnikend bij. Evenals velen van zijn schoolkameraden was ook hij vroeger verliefd op de mooie Rietje Deuning, maar Theo Noordam ging er met haar vandoor.

Het is al een vrolijke boel in het dorpscafé en de komst van de nieuwe groep feestvierders verhoogt de lol alleen maar.

„Niet gaan zitten," zegt Rietje en ze sleept Lou mee de dansvloer op, maar Lou schudt zijn hoofd en schuift Nard naar voren met de mededeling dat hij er zelf niks van bakt.

Terwijl Nard met Rietje danst, gaat Lou naar de tapkast waaraan ook al enkele jonge boerenzoons zitten. Onder hen is de zestienjarige zoon van Gerrit Nederpeld. Tinus Nederpeld is een hooghartig ettertje en hij wil iedereen graag laten merken dat hij de zoon is van een van de rijkste boeren van het dorp.

„Nu zijn vrouw zwanger is, knijpt Nard de kat in het donker," zegt-ie gemeen en Lou hoort het. Hij roept de snotneus tot de orde, maar Tinus doet net of hij het niet hoort en als een van zijn kameraden hem erop opmerkzaam maakt zegt hij met 'dieventuig als de Kraai' niets te maken te hebben.

„Wat zei jij daar, jongetje?" vraagt Lou nijdig. Die knaap zit eerst Nard en vervolgens hemzelf te beledigen. Er is geen trouwer echtgenoot dan Nard Buurma en nu zal die snotneus de goede naam van zijn vriend zomaar te grabbel gooien. Is-ie helemaal belazerd! Lou windt zich zienderogen op.

„Ik ben geen jongetje en ik heb met jou niks te maken," reageert Tinus wat overmoedig doordat hij al enkele glazen bier opheeft.

„Jij moet je kop over Nard houden en voor je belediging aan mijn adres heb je deze verdiend," briest Lou en woest sleurt hij de knaap overeind en geeft hem een stevige draai om zijn oren. „Zo straf je brutale jongetjes," voegt hij er nog aan toe en draait zich om, maar Tinus laat zich niet zomaar afstraffen en springt Lou op zijn nek en geeft hem, potig als hij is, enkele rake klappen terug. Maar de klappen van Lou zijn vervolgens nog harder. Kroegbaas Jaap Polman heeft een hekel aan vechtersbazen en laat zijn zoon, veldwachter Pieter Donders, door Lou steevast 'donderkop' genoemd, halen. Als Pieter hoort wat er aan de hand is, gaat hij graag mee. Al heel lang jaagt hij tevergeefs op de stropende Kraai en nu ziet hij zijn kans schoon hem te kunnen arresteren.

„Zijn er getuigen van de vechtpartij?" vraagt de veldwachter formeel als hij binnen is, maar ze schudden allemaal hun hoofd. Velen hebben gezien en gehoord hoe die etter van 'n Tinus Nederpeld er aanleiding toe gaf dat Lou hem een afstraffing bezorgde, maar niemand wil er de zegsman van zijn. De armen van rijke boeren reiken ver en niemand verplicht hen te zeggen wat ze gezien en gehoord hebben. Dan noteert Donders maar de getuigenissen van de waard en diens zoon en wordt Lou gearresteerd. Tinus wordt naar huis gestuurd en zijn kameraden gaan dan maar met hem mee. Voor Nard is er geen lol meer aan en dus gaat ook hij naar huis.

„Dat jij kermis gaat vieren moet je zelf weten, al lijkt het me niet zo netjes je vrouw alleen thuis te laten, maar dat jij je misdraagt door aan te pappen met een getrouwde vrouw vind ik ronduit schofterig." Met die woorden wordt Nard de volgende morgen vroeg door Gerrit Nederpeld ontvangen. Toen zoon Tinus de avond ervoor met een blauw oog en een opgezwollen neus thuiskwam, wilden de boer en de boerin uiteraard weten wat er was voorgevallen.

„Nard was zonder Mie op de kermis en hij was niet weg te slaan bij de vrouw van de bakker. Hij ging zelfs met haar dansen," vertelde Tinus. „Als onze knecht zich zo misdraagt, vind ik het niet meer dan normaal hem daarop aan te spreken, maar dat zinde meneer niet en dus stookte hij zijn vriend de Kraai op. Die begon nare opmerkingen te

maken en Nard bleef hem maar ophitsen."
„En toen vielen er klappen, begrijp ik," reageerde de boer en Tinus knikte.
„De Kraai begon te meppen en dus moest ik me wel verdedigen, maar die Lou Otten is een beer van een vent en ik kon niet tegen hem op. De veldwachter heeft hem uiteindelijk meegenomen."
„Dus Nard was de aanleiding?"
„Ja." Het is wel duidelijk dat de versie van Tinus nogal afwijkt van de werkelijkheid en dus is Nard stomverbaasd als de boer hem er vervolgens van beschuldigt dat hij Lou heeft opgehitst en dat de vechtpartij door hem werd uitgelokt.
„Maar ik heb Lou helemaal niet opgehitst; ik was aan het dansen met de vrouw van de bakker toen het gebeurde. Ik wist helemaal niet wat de aanleiding was voor die knokpartij. Van anderen hoorde ik dat Tinus was begonnen met nare opmerkingen over mij en Lou en dat Lou hem daarvoor een draai om zijn oren gegeven heeft."
„Heb je dat van boeren of van knechten gehoord?"
„Van knechten, maar wat maakt dat uit?"
„Dat maakt alles uit, want die houden elkaar de hand boven het hoofd. Ik heb geen reden om aan de woorden van mijn zoon te twijfelen, dus zou je er goed aan doen wat kieskeuriger te zijn bij de keuze van je kameraden." En daar kan Nard het mee doen. Een valse beschuldiging en het advies te breken met Lou. Over het eerste maakt hij zich terecht kwaad en het advies te breken met zijn beste vriend lapt hij aan zijn laars. Al moet hij droog brood eten, zijn vriendschap met Lou geeft hij niet op.

Omdat het voor Mie in haar toestand niet goed is dat zij zich te veel opwindt, vertelt Nard haar bij thuiskomst maar niets over de zoveelste nare ervaring op Laakzicht. Toch spookt de onredelijke aantijging van de boer hem de hele dag door het hoofd en zodra hij de avondboterham achter de kiezen heeft loopt hij naar het huisje van Lou. Daar aangekomen wordt hij uitbundig begroet door Caro, die ongenode gasten in de kuiten bijt als het nodig is, maar met Nard Buurma is hij de beste maatjes.

„Ik merkte al aan de gedragingen van Caro dat er bekend volk is," zegt Lou als Nard binnenkomt. „Kom je de gevangenisboef maar eens opzoeken?" Het laatste heeft hij met een brede grijns op zijn baardige gezicht gezegd.

„Gevangenisboef?" Nard begrijpt niet meteen wat zijn vriend bedoelt, maar als die hem vertelt dat hij een nachtje onder het gemeentehuis heeft moeten doorbrengen wordt het hem duidelijk. „Wat bezielt de veldwachter om jou meteen maar op te sluiten?"

„De 'donderkop' zag zijn kans schoon mij te grazen te nemen en dus liet hij die kans niet lopen, maar ik heb danig de draak met hem gestoken en daar kon hij niet goed tegen. Hij is het kennelijk niet gewend dat arrestanten hem voor de gek houden, maar ik lust die dooie diender rauw, hoor!"

„Kijk maar uit, anders draai je nog de bak in," waarschuwt Nard.

„Als-ie daar de kans voor krijgt dan zal hij het zeker niet laten, of ik hem nou voor de gek houd of niet."

„De 'donderkop' heeft jou te grazen genomen en de boer mij vanmorgen vroeg al."

„Omdat jij mij opgehitst zou hebben."

„Hoe weet jij dat?"

„Gisteravond laat is die diender nog bij Nederpeld geweest en daar heeft hij gehoord dat jij mij tegen die Tinus hebt opgestookt. Dat verhaal hoorde ik nadat hij een proces-verbaal opgemaakt had en voordat hij mij liet gaan."

„Maar heb jij dan niet gezegd dat dat verhaal van a tot z gelogen is?"

„Natuurlijk heb ik dat gezegd en ik heb hem ook precies verteld wat er werkelijk gebeurd is, maar die snotjongen van de boer gelooft hij kennelijk eerder dan mij en naar ik nu begrijp doet Gerrit Nederpeld dat ook."

„Ze zijn allemaal met hetzelfde sop overgoten, Lou. Maar wat kan ik nog doen om jou uit de bak te houden?"
„Niks!"
„Hoezo niks?"
„Als jij die boer kwaad maakt geeft hij je nog de bons en dan ben je verder van huis. Nee Nard, laat mij mijn eigen boontjes maar doppen."
„Maar ik wil je graag helpen, Lou."
„Dat kan je door voor mijn dieren te zorgen als ik onverhoopt de bak in draai." Caro ligt aan de voeten van zijn baasje en die streelt hem over zijn kop. „Voor hem vind ik het nog het ergste als ik een poos opgesloten word, want hij mist me al als ik één nacht wegblijf."
„Dat is wel het minste wat ik voor je kan doen, Lou. Maak je om de beesten maar geen zorgen en als Caro het moeilijk krijgt, dan neem ik hem wel mee naar huis, want Mic en Heintje zijn ook gek op het beest."

In het dorp wordt nog uitgebreid nagepraat over de kermis met, voor de kletswijfjes, de knokpartij in het café als hoogtepunt. Vooral als de Kraai erbij betrokken is, raken de wijfjes, toeter Jans Faber voorop, er niet over uitgepraat. In het winkeltje van Gonnie Davelaar blijven de vrouwen even plakken, want Jans is zojuist binnengekomen en die zal het fijne er wel van weten.
„Haai heb die klaaine jonge van Nederpeld baaina de harses ingeslage," zegt ze alsof ze er hoogstpersoonlijk getuige van is geweest.
„Maaid, maaid, was 't zó erg?" De wijfjes schudden hun hoofden over die barbaarse Kraai.
„Het wordt nódig taaid dat die vent achter de tralies verdwaaint," vindt Jans. „Eén nacht heb-ie al motte bromme onder 't gemeentehuis. De veldwachter heb 'm er zelf in gegojd en voor maain had-ie er gelaaik kenne blaaive ok, maar haai is alweer vraai." Het laatste heeft Jans met een spijtig gezicht gezegd.

Als Lou voor twee weken de bak in moet, krijgt Nard het druk. Naast zijn werk op de hoeve moet hij nu ook de beesten van Lou verzorgen. Caro heeft hij zolang in huis genomen, want het beest deed niets dan janken om zijn baasje. Maar Mie loopt op alle dag en ook haar moet hij in de gaten houden om tijdig de vroedvrouw te kunnen waarschuwen en dat tijdstip breekt nog eerder aan dan hij gedacht had.

Er staat een snijdend koude wind als Nard bij nacht en ontij op weg moet om Trees Vergunst te halen.

„Gaat Mie er een gewoonte van maken 's nachts te bevallen?" vraagt ze met een glimlach als Nard weer bij haar huisje aanklopt met de mededeling dat het zover is met zijn vrouw.

„Zij kan er niks aan doen en ik al helemaal niet," reageert Nard en Trees knikt.

„Weet ik wel jongen; ik maak maar een grapje." Trees heeft vervolgens niet veel werk om zich voor vertrek gereed te maken, want haar tas met de spullen die zij nodig heeft, staat altijd klaar.

„Toch spijt het me dat ik je uit je warme bed gehaald heb, want het is erg koud." Nard duikt diep in zijn kraag en Trees doet hetzelfde. Ze zetten er stevig de pas in om niet alleen vlug bij de kraamvrouw te zijn, maar ook om zich warm te lopen.

„Waar hoop je op, Nard?" vraagt Trees en Nard haalt zijn schouders op.

„Die vraag stelde je mij bij de vorige bevalling ook en ik herinner me dat ik toen zei dat een gezond kindje en niet te veel pijn voor Mie mijn grootste wensen waren. Die wensen heb ik nu uiteraard nog, maar ze zeggen dat een jongen en een meisje krijgen een rijkeluiswens is en bij die wens voel ik me ook wel thuis."

„Als het een meisje wordt, zul je je dus rijk voelen," concludeert Trees. Ze kijkt haar metgezel van opzij aan, want er komt niet meteen een reactie. „Klopt het niet wat ik zeg?"

„Ja, natuurlijk wel," haast Nard zich te verklaren, maar hij zegt ook dat er aan het begrip 'rijk' voor hemzelf nog iets anders vastzit. „Met een meisje zou ik dolblij zijn, maar ik zou me pas echt rijk voelen als ik een bedrijfje, hoe klein ook, voor mezelf zou hebben."

„Maar van een klein bedrijfje zul je toch niet rijk worden," meent Trees en Nard is het met haar eens.

„Rijk hoef ik er ook niet van te worden, Trees. Als het bedrijfje me maar voldoende oplevert om er fatsoenlijk van te kunnen leven en als ik maar verlost ben van die onredelijke baas."

„Dat die Gerrit Nederpeld een onredelijke vent is, herinner ik me nog wel van de vorige keer," reageert Trees. „Hij gunde je toen niet eens een halfuurtje vrij om je schoonmoeder te halen."

„Ja, dat is waar ook. Je hebt het zelf meegemaakt hoe onredelijk die Nederpeld is."

„Maar wat zou jij dan van jezelf willen hebben?"

„Een wat groter huis met een flinke lap grond, een stal met enkele koeien en verder wat kleinvee, maar dat kost geld en dat heb ik nou net niet. Mie zegt altijd dat ik luchtkastelen aan het bouwen ben en natuurlijk heeft ze gelijk, maar als ik niets meer heb om naar te verlangen zullen de nukken en kuren van mijn baas me nog harder vallen dan nu."

„Dromen zijn bedrog, maar soms komt er een uit, Nard. Laten we eerst maar eens kijken of we Mie kunnen bijstaan in het uur of de uren die haar te wachten staan." Trees zegt het omdat ze het daggeldershuisje van Laakzicht, waar buurvrouw Kee Wanders wederom de wacht houdt, bereikt hebben.

„Er is nog niks aan de hand, hoor!" zegt Kee als ze Trees ziet en dus mag zij haar bed weer opzoeken.

„Bedankt hoor Kee!" roept Nard haar nog na. Hij is blij dat Kee altijd voor hen klaarstaat als er iets met Mie of Heintje is. Nu ook weer was ze meteen bereid mee te komen. „Ze zeggen weleens dat een goede buur beter is dan een verre vriend. Wat Kee betreft gaat dat zeker op," zegt Nard en Trees beaamt het.

„Wees maar zuinig op zo'n buurvrouw, Nard. Maar nu ga ik me met Mie bezighouden, dus kan ik jou weer even missen," lacht ze en doet de deur van het kamertje waar Mie in de bedstee ligt, voor zijn neus dicht.

De bevalling verloopt deze keer nogal vlot, want nog geen halfuur later hoort Nard geschrei van een kindje en even later wordt hij door Trees gefeliciteerd met de geboorte van een dochtertje.

„Is alles goed met moeder en kind, Trees?" vraagt Nard als eerste en als de vroedvrouw knikt is dat voor hem weer een hele geruststelling.

„Je vrouw heeft zich weer kranig geweerd, jongen; ze heeft geen kik gegeven. En jouw rijkeluiswens is dus uitgekomen."

„Een zoon en een dochter, lieverd," fluistert Nard als hij zich over zijn vrouw buigt. De lovende woorden van de vroedvrouw vervullen hem met trots. Hij heeft toch maar geboft met zo'n flinke vrouw als Mie. Hij zegt het ook en er komt een glimlach om de mond van de kraamvrouw. Ze is zelf dolblij met een meisje en ze merkt dat Nard het ook erg fijn vindt.

„Hebben jullie al een naam bedacht voor dit schreeuwertje?" wil Trees weten en beiden knikken ze en vertellen dat Heintje is vernoemd naar de vader van Mie en dat dit meisje vernoemd wordt naar de moeder van Nard en dus Nellie gaat heten.

Van al het tumult in huis is Heintje wakker geworden en Trees vindt dan dat hij zijn zusje ook wel even mag bewonderen. De woordenschat van de kleine jongen is nog maar beperkt. Hij komt niet verder dan mama, papa en pop. Dat laatste is ook het eerste wat hij stamelt als hij Nellie in de armen van zijn moeder ziet. Met grote verbaasde oogjes kijkt hij naar het kindje en stamelt weer 'pop'. Ze moeten allemaal om de verbaasde reactie van de kleine jongen lachen.

„Is ze nou niet erg klein, Trees?" vraagt Mie een beetje bezorgd, maar de vroedvrouw schudt haar hoofd.
„Met haar zeven pond en een lengte van bijna vijftig centimeter is ze zeker niet klein of tenger."
„Maar wat is Heintje dan al weer groot, hè?" Mie kan er niet over uit en ze haalt haar zoontje, die er een beetje verloren bij zit, aan en dan mag hij ook een zoentje op het zachte wangetje van zijn zusje drukken. Maar dan is het gezellige onderonsje afgelopen, want moeder en kind moeten rusten van Trees en zijzelf belieft wel een 'pierenverschrikkertje', zoals zij een borrel pleegt te noemen.
„Doe je mee, Nard?" vraagt Trees, maar Nard schudt zijn hoofd en zegt maar dat hij zo midden in de nacht geen zin heeft in een borrel. Hij zou hem wel lusten, maar na de geboorte van Heintje hebben borrels nare consequenties voor hem gehad, dus begint hij er deze keer maar niet aan.

Deze keer kan Lou Otten niet op kraamvisite komen, want hij zit in de bak. De helft van zijn straftijd van twee weken zit erop, dus heeft Nard nog steeds de zorg voor de beesten van zijn vriend. Omdat de geboorte van Nellie zich al aankondigde, heeft hij Caro gisteravond teruggebracht naar de schuur van Lou en hem daar aan de ketting gelegd. Hij deed het wel met pijn in het hart, maar een andere mogelijkheid was er niet. Met vreemden overhuis is het niks gedaan met een herder als Caro.
Na het melken die ochtend loopt Nard vlug even naar het huisje van Lou. Als Caro hem ziet komen, rukt hij wild aan zijn ketting, maar helaas moet Nard de hond teleurstellen. Hij geeft hem eten en drinken en voert ook de andere beesten, maar dan moet hij zich haasten om weer op tijd op de hoeve te zijn. Thuis schrokt hij zijn brood naar binnen en verdwijnt weer, hoofdschuddend nagekeken door de moeder van Mie, die het bakeren weer voor haar rekening neemt. Ze begrijpt niet dat haar schoonzoon zich zo druk maakt om die stroper. Een rauwdouwer die zich om God

noch gebod bekommert en nu nota bene in de gevangenis zit. Ze schaamt zich in zijn plaats en dan scheldt hij nota bene nog op de boer die kritiek heeft op zijn vriendschap met die onverlaat. Zij heeft de rijke boeren niet hoog staan, maar deze keer is ze het met Gerrit Nederpeld eens. Haar dochter zegt wel dat Nard de beesten van Lou Otten toch niet kan laten verrekken, maar zij vindt dat een vent die zich zó misdraagt, geen beesten waard is. Enfin, laat ze zich maar niet opwinden, want dat is slecht voor haar hart. Mietje had vroeger beter naar haar moeten luisteren. Ze vond en vindt Nard geen jongen voor haar. Jammer dat ze haar zin wilde doordrijven en met hem getrouwd is. Haar schoonzoon is net als zijn moeder, nooit tevreden! Nel Buurma kent ze al haar leven lang. Een verwaand nest was het vroeger. Altijd wilde ze meer zijn dan een ander en uiteindelijk trouwde ze met die armoedzaaier van een Kees Buurma. De appel valt niet ver van de boom. Ook Nard bezit geen rooie cent, maar hij praat over een eigen bedrijf of hij een vermogen te verteren heeft. Nee, voor Mietje had ze wel wat anders op het oog.

De komst van Nel Buurma, de moeder van Nard, diezelfde middag valt Ploon Pronk dan ook rauw op haar dak. „Ik kom eens kijken hoe het hier gaat en of ik ook mijn steentje kan bijdragen," zegt Nel als ze binnenkomt en Ploon beluistert in die opmerking meteen bemoeizucht of zelfs kritiek.

„Ben je bang dat ik mijn werk niet goed doe?" vraagt Ploon dan ook met een hatelijke ondertoon in haar stem.

„Welnee, maar de kleine is naar mij vernoemd en dat schept toch verplichtingen."

„Wou je het soms van me overnemen?"

„Reageer nou niet meteen zo fel, Ploon," klaagt Nel. Waar is wel dat zij er min of meer op gerekend had dat zij gevraagd zou worden om te bakeren omdat Ploon het na de geboorte van Heintje gedaan heeft, maar dat gebeurde niet. Ze heeft zich daar al bij neergelegd, maar toch ziet Ploon Pronk haar kennelijk als een indringer. Zij is net zo goed als Ploon de opoe van de kleine en waarom het mens meteen zo'n agressieve toon aanslaat is haar een raadsel. Dikke vriendinnen zijn zij nooit geweest, maar dat betekent nog niet dat ze zo naar moet doen.

„Je geeft geen antwoord op mijn vraag."

„Welke vraag?"

„Mens, ik praat toch geen Spaans. Of je het soms van me wil overnemen vroeg ik."

„Ik kom op kraamvisite, Ploon."

„Dat had je dan meteen moeten zeggen, maar nee, mevrouw komt met opgestoken zeilen binnen om te controleren of alles wel goed gaat."

„Dat is niet waar. Ik heb alleen maar gezegd dat ik kom kijken hoe het gaat en of ik kan helpen."

„Ik heb jouw hulp niet nodig, hoor!"

„Nou, ga dan maar eens opzij zodat ik erdoor kan om de kleine te gaan bekijken."

„Ga me nog een beetje commanderen ook," reageert Ploon nijdig, maar als haar dochter roept, doet ze toch een stapje opzij.

„Met wie sta je daar nu ruzie te maken, moe?" vraagt Mie half huilend en als ze haar schoonmoeder ziet, laat ze haar tranen de vrije loop. Ze weet dat haar moeder het niet goed kan vinden met haar schoonmoeder en meestal komt die op een moment dat haar moeder er nog niet of niet meer is, maar deze keer is het weer raak.

„Ik maak geen ruzie, maar zij," meent Ploon, maar Nel gaat daar, nu fel, tegenin. De tranen van Mie werken aanstekelijk en in plaats van een vrolijke kraamvisite wordt het maar een trieste bedoening. Als Nel de baby gezien heeft en haar schoondochter heeft gefeliciteerd, gaat ze er gauw vandoor. Het lijkt wel een vlucht.

„Jullie kijken niet erg vrolijk," constateert Nard als hij laat in de middag thuiskomt voor het avondeten. „Is er iets?"

„Je moeder is op kraamvisite geweest," zegt Mie zacht, maar

haar moeder schudt nijdig haar hoofd.

„Ze kwam niet op visite maar om te controleren of ik het wel goed doe," zegt ze zuur en dan weet Nard wel weer hoe laat het is. Hij weet dat zijn moeder en schoonmoeder elkaars bloed wel kunnen drinken, dus hoeft er maar één verkeerd woord te vallen of ze zitten elkaar al in de haren.

„Oh, is het weer zover? Jullie hebben zeker weer woorden gehad," zegt hij.

„Laat Mie het maar vertellen; ik heb mijn buik er van vol. Tot morgen, hoor!" Ploon loopt de deur uit en laat haar dochter en schoonzoon met hun eigen gedachten achter.

„Je hoeft me niet te vertellen wat er is voorgevallen, schat, want dat weet ik ook zo wel. Trek het je niet te veel aan, hoor!"

„Het is niet leuk, Nard. Je moeder was helemaal ontdaan. Jammer toch dat mijn moeder altijd alle woorden van jouw moeder verkeerd uitlegt."

„Waar twee kijven hebben twee schuld, Mie, maar het is naar dat dat hier in huis moet gebeuren. Mijn moeder wist dat jouw moeder zou komen bakeren. Bij Heintje kwam ze samen met pa pas in de avond als jouw moeder weg was. Nu komt ze overdag en jaagt ze de kat meteen in de gordijnen."

„Je bedoelt het misschien niet zo, maar mijn moeder is inderdaad een kat. Ik ben blij dat ze helpt, maar ze bemoeit zich wel met alles. Ook voor jouw hulp aan Lou heeft ze geen goed woord over. Ze maakt die jongen uit voor rotte vis en waar heeft hij dat aan verdiend?"

„Jouw moeder luistert te veel naar die kletswijven in het dorp en vooral naar de Toeter, want die kletst helemaal naar dat ze verstand heeft."

„Je vrienden kun je kiezen, maar je familie niet, jongen. Misschien zit jouw moeder thuis nu wel een potje te grienen. Zou je niet even bij haar langsgaan?"

„Lief van je dat je daaraan denkt, schat. Ik ga na het eten wel even kijken hoe zij eronder is."

„Het is goed dat je even langskomt, jongen, want ik ben nog niet helemaal bekomen van wat er vandaag bij jou thuis voorgevallen is." De ogen van zijn moeder zijn nog rood, dus Nard weet dan dat Mie gelijk had toen ze veronderstelde dat moeder heeft zitten huilen.

„Ik kan wel zo ongeveer raden wat er gebeurd is, maar vertel het nog maar eens. Dat lucht misschien op."

„Het oude liedje, Nard. Ploon kan mij niet luchten of zien. Zij verdraait mijn woorden altijd zó, dat ik ook altijd de gebeten hond ben." Daarop vertelt Nel Buurma wat er gebeurd is en vader Kees bromt er af en toe een verwensing tussendoor.

„We weten dat je schoonmoeder bakert en dus heb ik je moeder nog zó gewaarschuwd er overdag niet heen te gaan, maar zij moest en zou de kleine zien. Nou zie je wat er van komt." Het laatste heeft Kees Buurma met een wat verwijtende blik in de richting van zijn vrouw gezegd.

„Moet ik me dan door die tang laten tegenhouden?" protesteert Nel. „Het kind is naar mij vernoemd, maar ik heb haar niet eens even kunnen knuffelen."

„Had jij zelf willen bakeren, moe?" vraagt Nard en dan haalt Nel haar schouders op.

„Misschien wel, maar Ploon is de moeder van Mie en eigen volk is voor een kraamvrouw toch beter."

„Je voelt je dus niet gepasseerd?"

„Ik had het graag gedaan, maar ik neem het jullie niet kwalijk dat je Ploon gevraagd hebt, hoor!"

„Kom dan morgenavond samen even langs, want Mie zit ook met het geval in haar maag en spanningen zijn niet goed voor haar."

„Dat doen we, Nard," hakt vader Kees de knoop door en dus is Nard blij dat hij met deze toezegging bij zijn vrouw kan aankomen.

HOOFDSTUK 3

„Niet bij de sloot, Nellie, want dat is gevaarlijk," waarschuwt Mie haar dochtertje, maar die protesteert. Ze wil, net als haar broertje Hein, beestjes vangen en in een glazen potje doen. Samen met haar broertje kan ze uren op haar buik bij de poldersloot achter het huis liggen om de bewegingen van de kleine waterdiertjes te volgen.

„Echte natuurmensjes," zegt Nard als hij thuiskomt om te eten.

„Kan best wezen, Nard, maar je moet toch maar eens een hekje voor de sloot zetten, want ik ben als de dood dat Nellie er nog eens in tuimelt. Ze wil, net als Heintje, beestjes vangen om in haar potje te doen en dat vind ik maar eng."

„Een hekje houdt die peuters niet tegen, schat. Nellie is zo vlug als water en die klimt er zó overheen en wat er dan achter het hek gebeurt kun je nog minder goed in de gaten houden dan nu."

„Papa, wil jij wat beestjes vangen voor in mijn potje?" roept Nellie op haar vader toe rennend. Nard vangt zijn dochtertje op in zijn armen en drukt haar even tegen zich aan.

„Er zitten nu nog niet veel beestjes in de sloot, lieverd. Je moet nog maar wat wachten tot het zomer is, want dan krioelt het van leven in het water." Nard weet het zo goed, omdat hij vroeger zelf ook altijd op zijn buik bij de sloot lag om in het heldere water te kijken naar alles wat bewoog. Ook hij had een potje met watervlooien en als er kikkerdril in de sloot lag, ging hij iedere dag kijken of er al kleine kikkertjes uit tevoorschijn kwamen. Kikkertjes zag hij nooit, wel kleine zwarte knopjes met een kwispelend staartje. 'Donderkopjes' noemden de jongens die kikkervisjes en dan moet hij inwendig lachen als hij aan zijn vriend Lou Otten denkt. Die noemt veldwachter Pieter Donders steevast 'donderkop', maar dan heeft hij zeker geen onschuldig kikkervisje in zijn hoofd.

„Maar ik wil nu beestjes vangen voor in mijn potje," protesteert Nellie, maar vader Nard schudt zijn hoofd.

„Je moet geen dingen willen die niet kunnen, meissie," vermaant hij haar en dan kijkt hij raar op als Mie hem een beetje zit uit te lachen.

„Waar moet jij om lachen?" vraagt-ie dan ook.

„Nellie heeft een aardje naar haar vaartje, jongen," lacht ze. „Jij wilt ook altijd dingen die niet kunnen." Waar Mie op doelt is Nard wel duidelijk en hij gaat er dus maar niet op in. Daar is trouwens ook geen tijd voor, want Mie gaat de aardappelen afgieten en dan kunnen ze eten. Heintje, die met het zoontje van buurvrouw Kee Wanders gespeeld heeft, komt ook thuis met de mededeling dat hij 'stikt van de honger'.

Het middagmaal verloopt als elke dag. Mie en Nard scheppen hun bord vol en eten dat rustig leeg, maar de twee kinderen moeten hun verhaal kwijt. Ze willen pa en moe deelgenoot maken van alles wat ze die ochtend beleefd hebben en kinderen van vier en zes beleven heel wat. Vooral Heintje, want die heeft een levendige fantasie. In het grote gezin van Kee Wanders is-ie graag, want als de een geen zin meer heeft om te spelen, vindt hij wel weer een ander 'slachtoffer'. Hoewel Nard de kleintjes af en toe tot de orde moet roepen, geniet hij toch ook erg van die momenten. Maar als ze gegeten hebben moeten de kinderen stil zijn, want dan duikt Nard voor een klein uurtje de bedstee in voor zijn middagdutje.

Na de vaat gewassen te hebben, neemt Mie de kinderen mee naar buiten en gaat ook even op de bank achter het huis zitten. Het is nog vroeg in het voorjaar, maar het is een mooie dag en uit de wind in het zonnetje is het best uit te houden. Ze laat haar hoofd tegen de muur van het huis rusten en geniet van de frisse voorjaarsdag. Aan de bomen en struiken rondom hun huisje zitten dikke knoppen, die, als de tijd rijp is, zullen openbarsten om nieuw blad te ontvouwen. Nog maar kortgeleden was alles dor en kaal, maar nu begint het jonge leven weer te ontluiken. Niet alleen de bomen en struiken scheppen nieuw leven, maar ook de dieren zijn alom in de weer om hun voortbestaan met nageslacht zeker te stellen. Een natuurlijke drang van de beesten die zich vooral uit in het voorjaar. Bij de mensen is dat anders, want steeds toegeven aan de natuurlijke drang leidt tot grote gezinnen en die zijn er genoeg in het dorp. Toen Heintje geboren werd had buurvrouw Kee Wanders vijf kinderen, maar nu heeft zij er al acht. „Thijs en Kee Wanders fokken maar door," zegt Nard weleens misprijzend. Zelf vindt-ie twee kinderen genoeg. Een rijkeluiswens noemt-ie een jongen en een meisje, maar hij zegt het altijd een beetje meesmuilend. Natuurlijk is hij gek op zijn twee kinderen en ze weet zeker dat, als er meer zouden komen, hij ook op die kinderen gek zou zijn, maar hij wil zijn gezinnetje klein houden. „Veel kinderen hebben betekent armoe en een eigen bedrijfje kun je dan helemaal vergeten," zegt-ie dan. Of er nú zoveel kans is op een eigen bedrijfje. Waar moeten ze het geld vandaan halen om zoiets te bekostigen? Zelf zou ze er nog wel een paar kinderen bij willen hebben en ze weet dan ook niet goed wat ze moet zeggen als familie en kennissen er hun verbazing over uitspreken dat er na Nellie geen kindje meer gekomen is.

Een uitlating van Gerrit Nederpeld doet Nard diezelfde dag beseffen dat hij er goed aan gedaan heeft zijn gezinnetje klein te houden. De banen liggen niet voor het opscheppen en de boer jaagt hem de stuipen op het lijf.
„Tinus wordt binnenkort twintig, Nard, en voor drie volwassen kerels heb ik in de toekomst niet voldoende werk. Je doet er dus goed aan eens om te zien naar een andere boer," zegt Gerrit koud en hard.
„Moet ik met mei al weg?" vraagt Nard verschrikt, want het is in de streek gebruikelijk dat nieuwe knechten met mei worden aangenomen, maar dan schudt de boer zijn hoofd.
„Nee, dat is te kort dag. Als je elders werk kan krijgen, dan doe je er verstandig aan dat aan te nemen, maar het hoeft

niet op stel en sprong." De laatste woorden van de boer stellen Nard weer enigszins gerust. Hij krijgt dus wat tijd om iets anders te zoeken, maar waar en wat? Een lichtpuntje is er wel. Als hij ander werk vindt, dan is hij verlost van de nukken en kuren van die Tinus. Al jaren probeert die knaap de baas over hem te spelen en hij is gemeen. Dat heeft hij vooral gemerkt toen de knaap hem jaren geleden tijdens een toenmalig kermisfeest vals beschuldigde en er de oorzaak van was dat zijn vriend Lou Otten in de gevangenis belandde. Het zal hem een waar genoegen zijn van dat valse ettertje verlost te zijn.

„Er is een kans dat ik binnenkort van die rottige Tinus Nederpeld verlost ben, Mie," valt Nard die avond met de deur in huis. Hij wil de nare boodschap voor zijn vrouw wat positief 'verpakken'.
„Gaat Tinus van de hoeve af?"
„Nee, ik."
„Jij?" Mie kijkt haar man met grote ogen aan, want ze begrijpt er niets van. „Waarom zou jij bij Laakzicht weggaan?"
„Omdat Tinus binnenkort twintig wordt en Gerrit voor drie volwassen kerels geen werk heeft."
„En dan moet jij het veld ruimen," concludeert Mie en Nard knikt.
„Helaas wel, ja, maar, zoals ik al zei, is er het lichtpuntje dat ik dan van die gemene knaap verlost ben."
„Alles tot je dienst, maar als jij al in mei op straat staat, waar moeten we dan van eten?" Mie gaat er, net als Nard, van uit dat haar man per 1 mei al de bons krijgt, maar Nard stelt haar gerust.
„Ik krijg voldoende tijd om geschikt werk te vinden, schat."
„Oh, dat valt me van die stugge boer niet eens tegen, maar het werk ligt niet voor het opscheppen, jongen; ik maak me toch zorgen, hoor!"
„Ik ga wel eens met Lou praten, misschien weet hij wel iets."

„Jij komt op de lekkere lucht af," raadt de Kraai als Nard zijn hoofd om de hoek van de deur steekt.

„Het ruikt hier inderdaad niet slecht," moet Nard toegeven en met welbehagen snuift hij de lekkere geur van gebakken vis op. „Wat heb je daar in de pan?"

„Ik heb een snoekbaars gevangen, die in moten gesneden en die moten liggen nu lekker in de roomboter te sudderen."

„Zo, meneer doet het niet voor minder," lacht Nard en weer bekruipt hem enige jaloezie als hij naar het onbekommerde harige smoelwerk van zijn vriend kijkt.

„Heb je al gegeten?" vraagt Lou en Nard moet tot zijn spijt bekennen dat hij zijn avondboterhammen net achter de kiezen heeft.

„Dikke boterhammen met boter, kaas en spek zeker," houdt Lou zijn vriend een beetje voor de gek, want hij weet best dat in het gezinnetje van Nard schraalhans keukenmeester is.

„Zulke kost kan ik me niet permitteren, jongen. Nu niet en straks al helemaal niet, want dan ben ik misschien zonder werk."

„Hoezo zonder werk? Heb je de bons van Gerrit gekregen?"

„Nog niet, maar ik moet omzien naar ander werk." En dan legt Nard uit waarom en wat de boer precies gezegd heeft.

„Dat moet gevierd worden met een heerlijke maaltijd. Je lust toch nog wel een stukje vis?"

„Ja, dat gaat er altijd wel in, maar ik begrijp niet wat er gevierd moet worden."

„Ik wel! Man, je bent straks niet alleen verlost van die rottige Tinus, maar ook van die stugge veeleisende boer. Tel je zegeningen toch!"

„Wat je zegeningen noemt. Als ik niks vind sta ik brodeloos op de keien en wat dan?"

„Dan zetten wij samen een bedrijf op. Dat wilde je toch altijd, een eigen bedrijf?"

„Meen je dat?" Nard kijkt zijn vriend met grote ogen aan, maar dan wordt hij een beetje nijdig en hij verwijt hem dat

het niet aardig is hem in deze omstandigheden voor de gek
te houden.

„Ik hou je niet voor de gek, Nard!"

„Maar wat lul je dan over een eigen bedrijf; ik heb geen
rooie cent!"

„Luister! Ik loop al een hele poos met het idee rond een hit
en een wagen aan te schaffen. Dat is goed voor mijn handel
en jij kunt er ook een boterham mee verdienen door schillen in de stad op te halen. Als je dan bij boeren langsgaat om
de schillen te bezorgen, zet je je ogen en oren wijd open en
tracht je wat oude spulletjes te vergaren."

„Oude spulletjes?" Nard luistert met stijgende belangstelling, maar wat hij met oude spulletjes moet beginnen is hem
niet recht duidelijk.

„Jij bent hartstikke handig en ik heb een grote schuur waar
jij die spulletjes kunt opknappen en die later verkopen.
Vooral als er antiek spul bij zit, kun je daar een aardig centje mee verdienen."

„Zou je denken?"

„Denken? Ik weet het wel zeker. Praat er eens met Mie over
voordat je besluit je weer bij zo'n strontboer te verhuren."

Thuis vertelt Nard wat hij met Lou besproken heeft, maar
Mie loopt niet erg warm voor de plannen van de Kraai. Het
blijft vervolgens ook bij plannen, want de boer komt niet op
de kwestie terug en Nard maakt dan ook geen haast met het
vinden van ander werk.

Of Tinus Nederpeld weet wat zijn vader met hem besproken
heeft weet Nard niet, maar wel weet hij dat de knaap steeds
vervelender wordt. Hij gedraagt zich alsof hij zelf de baas is
en Nard kan niets anders doen dan naar het pijpen van de
snotneus te dansen. Het op ruzie aan laten komen wil hij
niet, want dan zou dat voor de boer aanleiding kunnen zijn
eerder met hem te breken. De beslissing zelf actief op zoek
te gaan naar een andere boer schuift hij liever wat voor zich
uit, want het plan van Lou laat hem niet los. Als Mie er wat

positiever tegenover stond, zou hij de stap wel durven wagen, maar nu twijfelt hij. Lou is er al enkele keren op teruggekomen, maar hij heeft de knoop nog steeds niet doorgehakt. Het idee samen met Lou een zaakje op poten te zetten spreekt hem erg aan, maar het is de vraag of dat zaakje voldoende oplevert om ervan te kunnen leven.

Dan blijkt enkele maanden later als de hooibouw achter de rug is, dat de boer de opdracht aan zijn knecht uit te kijken naar ander werk helemaal niet vergeten is, want hij begint er weer over.

„Heb je al iets anders op het oog?" vraagt hij op een dag en dan moet Nard bekennen, dat hij nog niks gevonden heeft.

„Maar je weet dat de knecht van Goof Kaspers ongeneeslijk ziek is, dus dacht ik dat je daar wel op af zou gaan. Heb je dat niet gedaan?"

„Nee, nog niet."

„Jij maakt er niet veel werk van, zo te horen, Nard. Dat neem ik je kwalijk, man. Jij verdient het kennelijk niet dat ik je tijd gun om iets anders te vinden, dus geef ik je nog één maand respijt. Per 1 september is het hier voor jou afgelopen." En met die boodschap kan Nard naar Mie gaan.

„Wist jij niet dat de knecht van Goof Kaspers ernstig ziek is?" is de eerste vraag die Mie stelt als Nard met de onheilsboodschap thuiskomt.

„Ja, dat wist ik wel, maar Gerrit sprak nergens meer over, dus ben ik er niet op afgegaan." Nard weet best dat het een zwak verweer is en dat hij de mogelijkheid de plaats van die zieke knecht in te nemen met beide handen had moeten aangrijpen, maar hij kon er niet toe komen.

„Is Kaspers al voorzien?"

„Dat weet ik niet."

„Ga dan morgen meteen naar hem toe en vraag het. Als hij nog geen nieuwe knecht heeft, bied je dan aan!" Mie wil spijkers met koppen slaan, maar Nard twijfelt.

„Ik loop eerst nog even bij Lou langs," zegt-ie en hij voegt meteen de daad bij het woord.

„Als jij door Goof Kaspers wordt aangenomen dan valt ons plannetje in duigen, Nard," reageert Lou als Nard hem vertelt wat er is voorgevallen. „Ik wil het goed met je maken, Nard. Als jij nu instemt met mijn voorstel, dan schaf ik morgen een hit en een wagen aan. Wat vind je daarvan?"
„Mie is er niet voor, Lou."
„Jij altijd met je Mie. Wie is er bij jullie nou eigenlijk de baas in huis?"
„Wij lossen onze problemen altijd samen op, Lou."
„Maar in moeilijke kwesties moet er toch één zijn die de knoop doorhakt en ik neem toch aan dat jij dat bent."
„Ja, je hebt gelijk; ik doe het!" Het zijn maar drie woordjes, maar ze zetten het leven van Nard en Mie Buurma wel op zijn kop.
„De hand erop?"
„De hand erop!" Nard schudt de hand van zijn vriend en daarmee is het pleit beslecht. Ze zijn compagnons. „Ja, Nard, we zijn compagnons in de firma Otten/Buurma," lacht hij. „Ons bedrijf is gespecialiseerd in 'schillen, antiek en curiosa'."
„Steek jij er de draak maar mee," reageert Nard zuinig. „Jij hebt geen vrouw en twee kinderen om voor te zorgen."
„Nee, gelukkig niet. Ik ben zo vrij als een vogeltje, maar ik ben geen roekeloze losbol, Nard. Als ik van tevoren zou weten dat ons avontuur tot mislukken gedoemd zou zijn, dan had ik je mijn voorstel niet gedaan. Echt, jongen, er zit voor jou een goede boterham in."
„Ik help het je hopen, Lou. Als je gelijk krijgt zal ik de gelukkigste man van de wereld zijn."
„Maar we zullen het niet voor niks krijgen, Nard. Er zal hard gewerkt moeten worden."
„Dat ben ik gewend, maar er is wel een verschil tussen hard werken voor een boer en hard werken voor jezelf."

„Als je dat maar begrijpt," lacht Lou, die blij is dat zijn vriend kennelijk wat meer aan het idee van een eigen zaakje gaat wennen en er ook enig vertrouwen in begint te krijgen.

„Ik ga niet naar Goof Kaspers, maar ik ga samenwerken met Lou," zegt Nard als hij terugkeert van het bezoek aan de Kraai.
„Is Lou weer over dat oude voorstel begonnen?"
„Ja, en ik ben ermee akkoord gegaan. Lou koopt een hit en een wagen en ik ga schillen ophalen, die vervolgens verkopen aan de boeren en intussen ga ik goed opletten of er oude spulletjes vergaard kunnen worden."
„Maar denk jij echt dat je die oude dingen zodanig kunt opknappen dat je er geld voor kan vragen? Toen je het me de vorige keer vertelde had ik al mijn twijfels en nu nog. Als je door Kaspers wordt aangenomen hebben we een vast inkomen en dat is toch veel waard, Nard!"
„Een vast inkomen betekent vaste armoe en genoegen nemen met de grillen van een rijke boer, want die Goof Kaspers is geen haar beter dan Gerrit Nederpeld, misschien nog wel erger. Lou wist te vertellen dat de vrouw van die zieke knecht niet alleen tijdens de hooibouw moet helpen, maar ook allerlei klussen voor de boerin moet doen. Daar waag ik jou niet aan, schat."
„Je hebt misschien gelijk, maar ik vind het toch een heel avontuur. Heb je er trouwens al over nagedacht waar we moeten gaan wonen?"
„Nee, dat niet."
„Zie je nou wel! Als je een andere boer zoekt dan is er weer een daggeldershuisje bij, zoals hier, maar als je met Lou gaat samenwerken dan moeten we maar zien waar we terechtkomen."
„Maar ik ga er van uit dat we hier kunnen blijven wonen, omdat Gerrit geen nieuwe knecht neemt. We zullen wel wat huur moeten betalen, maar veel zal de boer er niet voor vra-

gen." Logisch geredeneerd van Nard, maar hij kent de stugge en gierige Gerrit Nederpeld kennelijk niet erg goed, want die heeft een heel ander verhaal.

„Ik ga samen met Lou Otten een bedrijfje opzetten en ik ga me dus niet opnieuw bij een boer verhuren, Gerrit," zegt Nard de volgende morgen tegen de boer. Die kijkt hem met een meewarige blik aan, haalt zijn schouders op en wenst hem grinnikend veel geluk. Dat hij daar ernstig aan twijfelt zegt hij niet hardop, maar aan zijn hele houding is te zien, dat dat wel degelijk het geval is.

„Waar ga je dan heen?" wil de boer weten.

„Verhuizen is niet nodig, want als ik met Lou ga samenwerken, kan ik dat van hieruit doen. Als Tinus mijn werk overneemt heb je ons huisje niet nodig voor een nieuwe knecht."

„Je hebt het over 'ons huisje', maar er is van jou niks bij, Nard; ik ga het verhuren."

„Als ik je knecht niet meer ben vind ik het logisch dat je wat huur vraagt," meent Nard en de boer knikt.

„Dat is ook logisch en als jij er een derde van je huidige weekloon voor overhebt, dan mag je erin blijven."

„Waarom zo ontzettend veel?" Nard schrikt zich een ongeluk en hij vraagt zich af wat die rotboer nou weer in zijn schild voert. Zoveel geld kan hij niet betalen.

„Voor jou is het misschien veel, maar voor de man die het wil huren, is dat bedrag geen enkel probleem."

„Welke man?" Nard is er vast van overtuigd dat de boer hem voor de gek staat te houden. Wie wil er nou zo'n hoge huur voor een eenvoudig daggeldershuisje betalen?

„In feite heb je er niks mee te maken, maar ik wil het je wel vertellen. In het marktcafé ontmoette ik vorige week vrijdag een kunstschilder en ik raakte met hem in gesprek. Toen hij hoorde waar ik vandaan kom, vroeg hij of ik hier niks te huur wist, want hij is verzot op deze streek en hij zou hier graag een huisje huren om zich van tijd tot tijd terug te kunnen trekken om rustig te schilderen."

„Een kunstschilder?"

„Ja, is dat zo gek? Kennelijk nog een goeie ook, want, zoals ik al zei, is de hoogte van de huur voor hem geen enkel bezwaar, maar voor jou wel, begrijp ik."

„Natuurlijk is het voor mij een bezwaar; ik kan dat bedrag toch nooit betalen."

„Erg veel vertrouwen in de winstgevendheid van je bedrijfje heb je kennelijk niet," zegt de boer met een sarcastisch lachje. „Aanstaande vrijdag zie ik die kunstschilder weer en dan zal ik maar zeggen dat hij op 1 september de sleutel kan halen."

„Dat is wel erg kort dag, Gerrit; kun je me nog niet een paar weken respijt geven, zodat ik wat meer tijd heb om iets anders te zoeken?"

„Goed, tot 15 september dan, maar geen dag langer."

„Half september moeten we ons huis uit, Mie," zegt Nard als hij thuiskomt.

„Maar heb je de boer dan niet gezegd dat je bereid bent wat huur te betalen?" Mie schrikt van de mededeling van haar man en vreest dat het gesprek tussen hem en de boer weer uit de hand gelopen is.

„Natuurlijk heb ik gezegd dat ik wat huur wil betalen, maar hij vraagt een derde van mijn huidige weekloon."

„Een derde? Dat kunnen we nooit betalen, maar waarom zo idioot veel?"

„Een of andere kunstschilder die hij op de markt ontmoet heeft, wil dat betalen om zich hier van tijd tot tijd te kunnen terugtrekken om rustig te schilderen. De man schijnt gek te zijn op deze streek."

„Hij houdt je voor de gek, Nard." Mie schudt haar hoofd over zo'n gemene streek van Gerrit Nederpeld.

„Dat dacht ik eerst ook, maar de boer beweert dat hij die kunstschilder aanstaande vrijdag weer op de markt ontmoet en dat het dan definitief wordt. Half september krijgt hij de sleutel."

„Maar waar moeten wij dan heen, Nard?" Mie kijkt haar man

met een bijna radeloze blik aan. „Half september is over iets meer dan een maand. Zou je nou toch niet naar Goof Kaspers gaan, jongen?"

„Nee, ik heb een akkoord met Lou en daar ga ik nu niet aan tornen. We vinden wel iets."

„Je zegt het, maar jij weet ook niet waar." Het huilen staat Mie nader dan het lachen en als Nellie dan aan haar rokken staat te trekken omdat ze aandacht wil, drukt zij de kleine meid onstuimig tegen zich aan. „Wat moeten we met de kinderen aan als we straks op straat komen te staan; jij altijd met je waanideeën over een eigen bedrijf!" Het laatste heeft ze snikkend gezegd en het klinkt als een verwijt. Nard trekt het zich aan. Even overvalt hem de twijfel of hij er wel goed aan gedaan heeft de voorgenomen samenwerking met Lou met een handdruk te bezegelen. Het kan best zijn dat Lou bezig is met de voorbereidingen. Misschien heeft hij al een hit en een wagen gekocht. Nee, hij kan nu niet meer terug en hij wil het ook eigenlijk niet, maar de woorden van zijn vrouw hebben hem wel diep geraakt. „Jij altijd met je waanideeën," zegt ze. Is een zaakje opzetten met de Kraai een waanidee?

„Ik ga even naar Lou om met hem te overleggen; maak je nou niet meteen zo zenuwachtig, schat," reageert Nard, maar hij krijgt zelf een brok in zijn keel als hij ziet dat kleine Nellie met een zakdoekje de tranen van haar moeder zit te drogen.

„Ik heb nooit woorden met Mie, Lou, maar nu is het hommeles thuis," valt Nard bij zijn vriend met de deur in huis.

„Wat is er nou weer loos?" Lou kijkt hem hoofdschuddend aan.

„Ik moet half september mijn huis uit."

„Van wie moet dat?"

„Van Gerrit Nederpeld." En dan vertelt Nard wat er die dag besproken is.

„Hoe komt die stugge boer nou weer aan een kunstschilder?

Als je het mij vraagt speldt die boer jou maar iets op de mouw."

„Ga er maar van uit dat het waar is, Lou. In ieder geval moet ik vóór half september iets anders gevonden hebben en zo niet dan staan we op straat."

„Niet meteen zo somber, Nard. Ik zal de komende dagen hier en daar mijn licht eens opsteken. Er zal toch ergens wel een huisje te huur zijn?"

„Ik hoop het, maar heb jij al iets ondernomen voor onze samenwerking?"

„Je krabbelt toch niet terug, Nard?"

„Nee, natuurlijk niet." Nard vertelt er niet bij dat hij eerder op de avond bij de aanblik van zijn radeloze vrouw die hem bijna smeekte alsnog naar Goof Kaspers te gaan, toch enigszins begon te twijfelen.

„Dat is maar goed ook, want ik ben al bijna rond met een paardenkoopman en een wagen heb ik al gekocht."

„Zo, jij laat er geen gras over groeien."

„Waarom zou ik? Het geld heb ik ervoor en mijn compagnon heeft onze samenwerking met een handdruk bezegeld en voor mij is dat evenveel waard als een contract bij de notaris."

„Gelijk heb je." Nard zegt het, maar hij schaamt zich tegelijkertijd voor zijn eerdere twijfels.

„Waarom heb je eigenlijk zelf nooit oude meubeltjes opgehaald om ze hier op te knappen en dan door te verkopen, Lou?"

„Ik meubeltjes opknappen? Man, ik kan nog geen spijker recht in het hout slaan, laat staan meubels opknappen. Nee, jongetje, dat is werk voor jou en we proberen er dan samen iets aan te verdienen."

„Laten we hopen dat het allemaal lukt, Lou."

„Je moet erin geloven, want anders lukt het zeker niet en wat riskeer je nou helemaal?"

„Vraag dat maar niet aan Mie, want die ziet allemaal leeuwen en beren op de weg."

„Kop op, Nard! We gaan er iets moois van maken. Met jouw hulp ga ik eerst de schuur een stuk vergroten en dat wordt dan onze, of liever gezegd, jouw werkplaats." Lou spiegelt het allemaal mooi voor en hij is ook eerlijk enthousiast.

Dat enthousiasme probeert Nard ook uit te stralen als hij terug bij Mie komt. Hij vertelt wat er met Lou besproken is en vooral dat de laatste in de komende dagen zijn ogen de kost zal geven om te zien of er ergens een huisje tegen een betaalbare huur vrij is.

Lou heeft woord gehouden, want enkele dagen later klopt hij bij Nard en Mie aan met de boodschap dat er een huisje leeg staat in De Tuit, een buurtschap aan de rand van het dorp.

„In De Tuit?" Mie slaat de handen voor haar gezicht en ze wordt beurtelings rood en bleek. „Maar dat is de armeluis buurt van het dorp, Lou," stamelt ze. In het dorp zeggen ze als iemand volkomen aan de grond zit en geen cent meer te makken heeft: hij is rijp voor De Tuit. Met mensen uit De Tuit willen de dorpelingen ook liever niets te maken hebben, want het is daar een vergaarbak van armoedzaaiers, mislukkelingen en criminelen. „Als ik hier vertel dat we naar De Tuit verhuizen, dan kijken ze ons niet meer aan," steunt Mie. „Is er nou echt niks anders te vinden, Lou?"

„Je moet je van de mensen niks aantrekken, Mie," vermaant Lou de vrouw van zijn vriend. „Als je de dorpelingen moet geloven is het daar een poel van verderf, maar dat valt best mee, hoor! Ik heb er een paar goede vrienden wonen."

„Ja, jij!" Mie spreekt haar gedachten niet uit, maar ze bedoelt eigenlijk te zeggen dat vriendschap met Lou in de ogen van de dorpelingen, haar moeder voorop, geen garantie is voor deugdzaamheid.

Lou voelt wel aan wat Mie bedoelt, maar hij lacht er maar eens goedmoedig om. Hij weet wel zo ongeveer hoe de dorpsgemeenschap over hem denkt. Maar hij weet ook dat er onder het armoedige en slordige uiterlijk van de buurtbewoners in meerdere gevallen een warm hart klopt.

„Laten we er samen eerst maar eens gaan kijken, Lou," stelt Nard voor en aldus wordt besloten. De volgende avond gaan ze er al heen, maar wat Nard er aantreft valt hem bitter tegen. Het huisje is klein en vervallen. Er is ook maar een heel klein tuintje bij. Het enige wat meevalt is de huur, want die is erg laag.

Lou vindt het een knus huisje en een gezellige buurt. Door kennissen wordt hij op de schouders geslagen en ze informeren nieuwsgierig naar hun bedoelingen. Als ze horen dat Nard het huisje misschien gaat huren, wordt hij al bij voorbaat welkom geheten. „Als je hulp nodig hebt, geef je maar een gil," zeggen ze en dat vindt ook Nard wel positief klinken.

Met dat positieve geluid komt hij ook terug bij Mie, maar die wil het huisje en de buurt eerst wel eens met eigen ogen gaan bekijken alvorens beslissingen te nemen. Eenmaal ter plekke schrikt zij nog harder dan Nard. Zij ziet niks positiefs, doch alleen slonzige vrouwen en vuile kinderen met snottebellen en op blote voeten. Mie zelf is erg proper en ze huilt dan ook van ellende. Nard is ervan onder de indruk, maar wat moet hij anders. Over enkele weken moet hij zijn huis uit en betaalbare huurhuisjes zijn er niet in het dorp. Bovendien kan hij dan niet meer rekenen op een vast weekloon, maar zullen de verdiensten van week tot week verschillen en gaan ze aldus een onzekere toekomst tegemoet.

„En, wat vond je ervan?" vraagt Lou als hij die avond langskomt om te informeren naar de indruk van Mie na haar bezoek aan De Tuit.

„Het is een gribus waar jij ons in wil stoppen," zegt ze zuur en ze kijkt haar bezoeker met een vernietigende blik aan.

„Ik wil jullie nergens in stoppen, Mie. Het enige wat ik gedaan heb is mijn ogen de kost geven om te zien of er ergens een betaalbaar huisje te huur is en het enige wat ik gevonden heb is dat huisje in De Tuit."

„Weet je wat jij gedaan hebt, Lou? Jij hebt eerst Nard zo zot gekregen in te stemmen met jouw onzinnige voorstel van een eigen bedrijfje en vervolgens een huisje in een achterbuurt voor ons gezocht."

„Nou moet je de zaak niet omdraaien, Mie!" Lou wordt nijdig, want de vrouw van zijn vriend draaft nu wel erg door. „Nard krijgt de bons bij Gerrit Nederpeld en komt dan bij mij om raad vragen. Vervolgens geef ik een bom duiten uit voor een schillenkar met hit waar je man vrijelijk over zal kunnen beschikken, en dan kom jij met onredelijke verwijten."

„Maar we waren toch beter af geweest als Nard zich bij Goof Kaspers verhuurd had!"

„Ho ho, Mie! Het was mijn eigen beslissing niet naar Goof te gaan. Jij bent onredelijk tegen Lou, maar ik stel zijn vriendendienst wel op prijs, als je dat maar weet!" Nard neemt het zijn vrouw kwalijk dat ze de Kraal zó naar behandelt, maar hij moet haar vervolgens troosten, want ze is op een stoel gaan zitten en laat haar hoofd snikkend op haar armen vallen; haar schouders schokken.

„Ik laat jullie alleen en kom morgenavond wel weer eens langs," zegt Lou. Hij gaat er vlug vandoor, want hij kan niet goed tegen huilende vrouwen.

„Mijn naam is Ronald Duyvestee en ik kom eens kijken hoe mijn toekomstige behuizing eruitziet." In het deurgat ontwaart Nard een artistiek gekleed persoon van rond de veertig met een baardig gezicht en een grote slappe hoed op zijn hoofd.

„Kom dan maar even binnen, meneer," zegt Nard die nogal onder de indruk is van de artistieke verschijning, waarin hij onmiddellijk de kunstschilder, waar de boer het over had, herkent, want zijn schoenen zitten onder de verf.

„Wat een schitterende omgeving is het hier toch," zegt de bezoeker om zich heen kijkend alvorens naar binnen te gaan. Binnen maakt hij kennis met Mie en de kinderen die op het punt staan naar bed te worden gebracht. Ze kijken de bezoeker met open mond aan.

„Wie ben jij?" vraagt Nellie met haar piepstemmetje en dan gaat de kunstschilder op zijn hurken zitten en zegt dat hij Ronald heet.

„En hoe heet jij?"

„Ik heet Nellie en mijn broertje heet Hein."

„Wat 'n mooie namen." Dan graait hij in zijn zak en tovert een zakje babbelaars tevoorschijn. „Lusten jullie wel een babbelaar?" vraagt-ie naar de bekende weg en dan knikken de kinderen ijverig, want zoiets lekkers krijgen ze zelden. Duyvestee geeft hun ieder een babbelaar, legt dan het zakje op de kast en zegt met een knipoog naar Mie: „Ik laat het zakje hier maar liggen, want als jullie zoet gaan slapen dan krijgen jullie er morgen nog eentje."

Met dit gebaar heeft Ronald Duyvestee niet alleen de harten van de kinderen, maar ook die van hun ouders gestolen. Mie haast zich een kom koffie voor de bezoeker in te schenken en dan vertelt Ronald waarom hij zo graag een 'vast stekkie', zoals hij het noemt, in het prachtige polderlandschap wil huren. Hij woont in Oegstgeest bij Leiden en zegt vaak in de streek te komen om te schilderen. En dan steekt Lou Otten zijn hoofd om de hoek van de deur en maakt ook hij kennis met de kunstschilder. Het klikt meteen tussen die twee en als Duyvestee hoort dat Lou af en toe paling en snoekbaars te koop heeft, dan wil hij niets liever dan vaste klant bij hem worden.

Ronald Duyvestee is een vrolijke kerel en ondanks de sombere stemming in huize Buurma wordt er die avond flink gelachen. Bij het afscheid worden Nard en Lou uitgenodigd eens een kijkje in het huis van de kunstschilder in Oegstgeest te komen nemen. Lou belooft langs te zullen komen als hij de hit en de wagen heeft en als het zover is, gaat Nard met hem mee.

„Stal paard en kar maar zolang achter het huis en kom binnen," zegt Ronald Duyvestee gastvrij als Lou en Nard met het nieuwe gerij bij zijn huis in Oegstgeest aankomen. „Breek je nek niet over de rommel," waarschuwt hij en inderdaad blijkt dat geen overbodige waarschuwing te zijn. Zijn huis is grotendeels ingericht als atelier en, zoals het een echte kunstenaar betaamt, ziet alles er nogal chaotisch uit, maar het valt vooral Lou op dat er, naast schildersattributen, ook veel kostbaar antiek in huis staat.

„Kijk Nard, zoiets moet je op de kop zien te tikken, want dan ben je meteen binnen," lacht Lou.

„Doet je maat in antiek?" vraagt de kunstschilder en als Lou hem dan vertelt wat hun plannen zijn, wordt hij enthousiast. Hij moet ook bulderend lachen als Lou hem vertelt dat ze binnenkort gespecialiseerd zijn 'in schillen, antiek en curiosa'.

„Dat is een prachtige combinatie," vindt-ie en dat moet hij van Nard nader toelichten.

„Dat zal ik doen, maar eerst wil ik af van dat 'gemeneer'. Laten we elkaar alsjeblieft gewoon bij de voornaam noemen. Dus Ronald, Lou en Nard; akkoord?"

„Graag, Ronald, maar als je af en toe wat afwisseling wilt, dan mag je me ook Kraai noemen, want zo sta ik in het dorp bekend," lacht Lou.

„Kraai? Hoe kom je nou aan zo'n zotte naam?"

„Als je bij ons op het dorp komt wonen dan moet je er maar aan wennen dat de meeste bewoners bijnamen hebben. Lou heeft zijn bijnaam te danken aan de schoolmeester, die vond dat hij kraste als een kraai als we zangles hadden. Maar de meeste bijnamen hebben boeren met eenzelfde achternaam. Iedereen vernoemt zijn kinderen naar de wederzijdse ouders en omdat veel boeren familie van elkaar zijn, zijn er veel mensen met dezelfde voor- en achternaam."

„Dat is nogal verwarrend," meent Ronald en Nard knikt.

„Vandaar de bijnamen, zoals rooie Tinus, dikke Piet, de Blaarkop en ga zo maar door."

„Vergeet de Toeter niet, Nard," lacht Lou.

„Dat is zeker iemand die een keer zo dronken als een toeter

geweest is," raadt Ronald, maar hij heeft het mis. Nard legt hem uit waar de bijnaam van Jans Faber vandaan komt en voorspelt de kunstschilder dat hij bij Jans danig over de tong zal gaan.

„Waarom? Ik doe geen vlieg kwaad!"

„Dat is geen garantie om bij de Toeter niet over de tong te gaan," vindt Lou. „Als je bij ons maar een ietsepietsie afwijkt van wat men bij ons normaal noemt, dan ben je al de klos."

„En Lou weet ervan mee te praten," vult Nard aan.

„Ga jij bij die tante ook over de tong, Lou?"

„Ja, en niet zo zuinig ook. Als ik alles wat ze over me vertelt serieus zou nemen en een aanklacht tegen haar zou indienen wegens smaad, dan draaide ze regelrecht de bak in."

„Je meent het. En dat dorpje van jullie ziet er zo vredig uit."

„Schijn bedriegt, Ronald, maar daar kom je nog wel achter."

„Eerlijk gezegd zal het me een zorg zijn wat ze over me vertellen. Ik ga erheen om te schilderen, want ik ben helemaal verzot op die streek met zijn oude boerderijen en pittoreske dorpjes. Maar ik ben jou, Nard, nog een uitleg schuldig over de combinatie van jullie specialiteiten."

„Schillen, antiek en curiosa?"

„Precies."

„Schillen haal je op bij mensen, dus je komt met veel burgers in contact. Diezelfde schillen lever je, neem ik aan, aan boeren en bij boeren zit veel antiek."

„Hoe weet je dat?" Nard ziet niet meteen het verband tussen een kunstschilder en antiek.

„Van mijn vader en ik heb het zelf ook ervaren. Mijn vader had in Leidschendam een grote antiekzaak en hij had uitsluitend gefortuneerde klanten. Van mijn vader heb ik het vak van antiquair geleerd, maar ik voelde meer voor het vak van kunstschilder. Mijn belangstelling voor en kennis van antiek heb ik wel behouden."

„Heb je alleen verstand van antieke meubelen?"

„Nee, van alles. Ook klein spul kan veel geld waard zijn. Naast antieke meubeltjes zit er bij boeren ook nog veel antiek, aardewerk en porselein. En weet je wat het mooiste is?"

„Nou?" Nard luistert met een gretig oor naar de ontboezemingen van de excentrieke kunstschilder.

„Als er een antiquair bij een boer komt dan wordt de boer argwanend, maar van een schillenboer verwacht hij niet dat die wat van antiek af weet. Je verzamelt zogenaamd 'oude rommel' en een boer moet je nooit laten blijken dat je er belangstelling voor hebt, want dan wordt-ie ook wantrouwig en vooral hebberig."

„Maar als ik er iets in zie en ik wil het hebben dan zal ik er toch een prijs voor moeten betalen," meent Nard, maar Ronald schudt zijn hoofd.

„Liever niet, maar in het uiterste geval bied je een heel klein bedragje, want hoe meer je wil betalen hoe wantrouwiger en hebberiger de boer wordt."

„Als ik iets opgescharreld heb en ik denk dat het wat waard is, mag ik dan bij jou langskomen om het te laten taxeren?"

„Je bent altijd welkom. Maar voordat jullie terugrijden wil ik wel een toost uitbrengen op onze vriendschap." Zonder het commentaar van zijn gasten af te wachten pakt Ronald een kruik jenever en glazen en schenkt ze vol.

„Maar ik moet straks nog melken en de boer houdt niet van een knecht die drinkt," piept Nard benauwd, maar zowel Lou als Ronald lacht hem uit.

„Ik hoop niet dat de boer ook een hekel heeft aan een huurder die drinkt, want op z'n tijd lust ik wel een neutje," lacht Ronald.

„Wat kan jou die boer nou nog schelen, Nard!" Lou kijkt zijn vriend met een meewarige blik aan. Hij is bijna eigen baas, maar de angst voor die rotboer zit bij hem kennelijk ingebakken.

„Ik ben het met de spreker eens," zegt Ronald die zichzelf en zijn gasten nog eens inschenkt. „Op onze kennismaking en vriendschap," proost Ronald en hij geeft Lou een zó harde klap op zijn schouder, dat deze staat te wankelen op zijn benen. En Lou is toch geen kleine jongen.

„Wat een aardige kerel is dat, zeg!" Nard raakt er niet over uitgepraat als hij, samen met Lou, terugrijdt naar het dorp.

„Niet alleen aardig, maar hij heeft verstand van antiek en dat kan ons in de toekomst goed van pas komen. Als je ook maar een flauw vermoeden hebt dat het ding dat je opscharrelt iets waard is, ga dan meteen naar Ronald," adviseert Lou zijn vriend.

„Dat zal ik zeker doen en ik heb ook zijn raad ter harte genomen. Net doen of de spullen mij niet interesseren en niets of zo weinig mogelijk betalen."

„Weet je dat die kerel mensenkennis heeft, Nard? Hij kijkt dwars door je heen en daarom klikt het ook meteen tussen hem en ons. Het is een geluk bij een ongeluk dat er zo'n man in je huisje komt."

„Zeg dat wel! Aan hem durf ik ook wel te vragen of ik, als hij er eenmaal woont, de rode kool, de prei en de spruiten die nog in de tuin staan, mag oogsten als de tijd daarvoor is aangebroken."

„Oh, dat vindt-ie vast goed; desnoods geef je hem ook een kooltje."

„Zou hij daar zijn eigen potje gaan koken?"

„Hij zal die oude huishoudster, die we in het huis hebben zien rondscharrelen, wel meenemen," veronderstelt Lou. En dan lachend: „Het mens zal vreemd opkijken als ze boodschappen gaat doen in het dorp, want in elk huis dat ze passeert, wordt dan een gordijn opzijgeschoven."

„Zeker in het huis van de Toeter," meent Nard. „Zal ik eens voorspellen welke bijnaam ze Ronald gaat geven?"

„De baardaap?"

„Ik denk eerder aan 'de walrus', want met zijn zware wenkbrauwen en hangsnor heeft hij wel iets van zo'n beest weg, vind ik."

„Daar lijkt hij wel een beetje op, ja. Wat een beer van een

vent is het, hè? Hij sloeg me bijna tegen de vlakte toen hij me een 'vriendschappelijk tikkie' op mijn schouder gaf," lacht Lou. Al pratende is de tijd omgevlogen en Nard wordt door Lou thuis afgeleverd. Mie zit aan de thee en Nard kan meteen aanschuiven voordat hij naar de boer gaat om te melken.

„Ronald wil mij helpen met taxeren van oude spulletjes die ik bij boeren ophaal, Mie," zegt Nard enthousiast.

„Ronald? Noem jij die kunstschilder bij zijn voornaam?" Voor Mie is kunstschilder Duyvestee een voornaam iemand, die je normaliter met 'meneer' aanspreekt, maar Nard legt haar uit dat de nieuwe bewoner van hun huisje een eenvoudige, hartelijke en behulpzame kerel is.

„Wil je geloven dat de ontmoeting met Ronald mij meer vertrouwen in de toekomst gegeven heeft, Mie? Volgens hem zit er veel kostbaar antiek bij de boeren en hij heeft me tips gegeven wat ik moet doen om die spulletjes in mijn bezit te krijgen."

„Als het allemaal maar netjes gebeurt," zegt Mie een beetje zuinig. Zij ziet de toekomst nog steeds minder rooskleurig in dan haar man en tegen de verhuizing naar het krot in De Tuit ziet ze op als tegen een berg.

HOOFDSTUK 4

„Je lijkt wel niet goed wijs om in dit hok in deze gribus te gaan wonen," heeft Ploon Pronk tegen haar dochter gezegd, maar niettemin heeft zij haar enkele dagen geholpen om het huisje schoon te boenen en het zodoende een beetje toonbaar te maken.

Nee, Ploon heeft geen goed woord over voor het onverantwoordelijke gedrag van haar schoonzoon. Een eigen bedrijfje, ze zou erom moeten lachen als het niet zo triest was. Schillenboer in De Tuit tussen armoedzaaiers en scharrelaars. Dieper kun je al niet zinken en het ergste is dat haar schoonzoon nog dankjewel moet zeggen tegen die niksnut van 'n Kraai. Haar eigen dochter en kleinkinderen sleept hij in zijn ongeluk mee. Nard scheldt wel op de boeren omdat die als alleenheersers op hun hoeven zouden regeren en zich aan hun vrouwen niets gelegen laten liggen, maar zelf is-ie geen haar beter.

De smeekbeden van Mie ten spijt heeft hij zijn eigen zin doorgedreven en is hij die heilloze samenwerking met de Kraai aangegaan. Een mooi daggeldershuisje en een vaste baan bij Goof Kaspers heeft hij ervoor laten schieten. Ze heeft er geen goed woord voor over.

Mie is het grotendeels met haar moeder eens, maar ze heeft zich in haar lot geschikt en probeert er het beste van te maken. Gedane zaken nemen nu eenmaal geen keer en bij Nard constant met verwijten aankomen heeft een averechtse uitwerking. Hij heeft hard meegewerkt om het huisje bewoonbaar te maken. Lou heeft voor een pot verf gezorgd en daarmee is het houtwerk binnen wat opgeknapt. Ergens in een hoek vonden ze nog een opgerolde biezenmat en die kwam goed van pas in het kamertje, dat, net als de rest, pietepeuterig klein is. Achter het huisje ligt een sloot en daar staat een 'hartjesplee' boven. Vlak ernaast moet Mie de was uitspoelen, dus erg fris is dat niet. In het daggeldershuisje van boer Nederpeld hadden ze een plee in huis met een beerput onder de grond van het erf. Ook wat dat betreft zijn ze er dus flink op achteruitgegaan.

Op de dag waarop ze hun oude huisje moeten verlaten rijdt Nard de schillenkar voor en wordt het bescheiden huisraad opgeladen en na een kwartiertje rijden op de bestemming in De Tuit afgeladen en het huisje in gedragen.

Buren komen kijken of ze kunnen helpen. Rens Hoogeveen, de stoelenmatter, biedt aan een van de stoelen, waarvan de zitting kapot is, te herstellen. Scharrelaar Frans Sjardin laat zich niet zien, maar ze horen hem en zijn vrouw Truus schelden tegen de kinderen.

„Moet je toch horen wat voor 'n taal ze uitslaan," klaagt Ina Hoogeveen, de vrouw van de stoelenmatter. „Ze zijn in Leiden wegens huurschuld uit hun huis gezet en nu komen ze hier de buurt onveilig maken. Een platter stel kom je nooit meer tegen en roddelen dat die Truus Sjardin doet!"

„Erger dan de Toeter?" vraagt Mie en Ina knikt.

„Jans Faber kun je het niet aanrekenen, want die is niet goed bij haar hoofd, maar Truus wel."

„Trek geen partij voor deze of gene, Mie," waarschuwt Nard. „Ik heb van Lou gehoord dat Truus een flapuit is, maar dat haar man Frans een beste kerel is."

„Wees maar niet bang, Nard, ik bemoei me nergens mee," verzekert Mie haar man. Ze is blij als haar eigen spulletjes in het kleine huisje staan, want dat geeft meteen een wat vertrouwder gevoel, maar ondanks dat zal ze toch erg aan haar nieuwe omgeving moeten wennen.

Er moet brood op de plank komen, dus trekt Nard er de volgende dag al met de hit en de kar op uit om schillen op te halen. De eerste keer gaat Lou mee, want Nard is erg nerveus. „Straks slaat iedereen de deur voor onze neus dicht," vreest Nard, maar Lou schudt zijn hoofd.

„We gaan niet lukraak aankloppen, Nard. We gaan een wijk in waar de vorige schillenboer niet meer komt omdat hij kortgeleden overleden is."

„Maar heeft die man zijn wijk dan niet aan een andere schillenboer overgedragen?"

„Weet ik veel, we gaan het gewoon proberen en als de mensen vragen stellen zeggen we overal ja en amen op." En bij het eerste huis is het al raak.

„Hallo schillenboerrr. Heb jij het van ouwe Bas overrrgenomen? Het was toch wel gauw gebeurrrd, hè? Maarrr ik heb gehoorrrd dat-ie niet geleje heb." Het sjofele vrouwtje aan de deur laat haar Leidse 'r' flink rollen.

„Ome Bas heeft altijd hard gewerkt, maar gelukkig heeft-ie geen lang ziekbed gehad," verzint Lou en de vrouw knikt.

„Daarrr ben ik ook blij om," zegt ze, haar mandje schillen in de kar kiepend. Nard moet zijn best doen om zijn gezicht in de plooi te houden en hij moet zich omdraaien als Lou op een vraag van de vrouw beweert dat hij een aangetrouwde neef van de ouwe Bas is.

„Maar mijn broer hier komt voortaan alleen, want ik heb eigenlijk een andere wijk van de stad."

„Ik zal de schille en groenteafval bewaarrre, hoorrr! Daaag!" Het vrouwtje doet de deur dicht en Nard moet zijn buik vasthouden van het lachen.

„Wat ben jij een fantast, zeg!" hikt-ie, maar Lou haalt zijn schouders op.

„Zonder een leugentje om bestwil kom je er niet, Nard." Varianten op de eerste ontmoeting doen zich die dag nog meerdere keren voor, maar het belangrijkste is dat ze al vroeg in de middag kunnen terugkeren met een volle kar.

„Ga je ook mee als ik de schillen probeer te slijten bij de boeren?" vraagt Nard, maar Lou schudt zijn hoofd.

„Doe jij dat maar alleen, want ik heb bij de boeren niet zo'n beste naam, zeker bij de boeren van ons dorp niet."

Dat Nard bij de boeren wel een goede naam heeft, ondervindt hij nog diezelfde dag. Ze hebben gehoord dat Gerrit Nederpeld het voortaan alleen met zijn zoon Tinus af kan en dat Nard Buurma dus het veld moest ruimen. Zij zijn wel verbaasd dat Nard schillenboer geworden is, maar ze gunnen hem zijn verdiensten van harte en dus kan hij na een halfuur al met een lege kar huiswaarts keren.

„Heb je niks opgehaald?" vraagt Mie met een angstige blik in haar ogen als ze Nard met de lege kar ziet komen. De hele dag heeft ze in spanning gezeten, want voorlopig hangt hun inkomen af van de verkoop van schillen, maar die moeten dan eerst wel opgehaald worden. Ze heeft geen enkel idee hoe dat gaat. Mensen eten aardappelen en dus hebben ze schillen, maar er zijn in de stad genoeg schillenboeren. Waarom zouden de mensen de schillen dan aan Nard geven. Het gekke is wel dat Nard met een vrolijk gezicht op de kar zit.

„Ik ben ze al kwijt," is zijn, voor Mie verrassende, antwoord. „In de stad ging het gesmeerd en we hebben nog erg gelachen ook."

„Was het zo lollig dat ophalen van schillen?"

„Nou, naar werk is het niet, maar ik heb moeten lachen om de zotte verzinsels van Lou." En dan vertelt hij hoe het gegaan is en Mie zou geen Mie heten als ze zich er weer geen zorgen om zou maken.

„Straks komt het uit dat jullie geen familie van de ouwe Bas zijn en dan kun je naar je schillen fluiten," vreest ze.

„Maak je daar nou maar geen zorgen om, schat. Het ophalen gaat gesmeerd en ik heb nu al gemerkt dat ik de schillen en ander groenteafval bij de boeren makkelijk kwijt kan. Ik heb zelfs de indruk dat Gerrit Nederpeld een goed woordje voor me gedaan heeft, want het ging allemaal zó makkelijk."

Al enkele weken is Nard nu eigen baas en het gaat goed. Gerrit Nederpeld blijkt inderdaad met andere boeren over de handel van zijn vroegere knecht gesproken te hebben, want zo weinig moeite Nard heeft om volle karren schillen te vergaren, zo weinig moeite hoeft hij er ook voor te doen om ze bij de boeren te slijten. Lou Otten denkt dat het geweten van die rijke boer is gaan knagen en Nard wil hem graag geloven. Voor hem maakt het niet uit hoe het komt dat zijn handel 'floreert', zoals hij het noemt, als het zo maar blijft gaan.

Het blijft zo gaan en zijn activiteiten breiden zich zelfs uit. Hij fungeert af en toe zelfs als vrachtrijder. Dat komt prachtig uit, want als hij met een lege kar van het dorp naar de stad rijdt, kan hij zonder extra moeite goederen voor deze en gene meenemen en in de stad afleveren. Dat verdient lekker. Langzamerhand begint hij ook spulletjes te verzamelen en als hij ze in de schuur van Lou opgeknapt heeft, probeert hij die onderweg tijdens het ophalen van de schillen te verpatsen. Ook dat lukt en al met al komt er een aardig centje binnen en Mie kan zich zelfs permitteren een bescheiden spaarpotje aan te leggen.

„Zie je nou wel dat je voor niets in je rats gezeten hebt, schat," zegt Nard als hij weer een voordelig handeltje gedaan heeft en voor zijn vrouw de centen uittelt. „Lou is wel een flierefluiter, maar als het eropaan komt praat en doet hij heel verstandig."

„Het spijt me dat ik je vriend verkeerd beoordeeld heb, Nard. Tot nu toe heeft hij gelijk gekregen, maar we moeten niet te vroeg juichen."

„Daar heb je gelijk in, maar we mogen toch wel tevreden zijn en er een beetje van genieten?"

„Natuurlijk, maar toch zal ik het zuinig aan blijven doen om wat geld over te sparen voor perioden waarin het misschien wat minder goed gaat."

„Oh, dan zal ik wel op mijn kop krijgen voor wat ik gedaan heb," zegt Nard met een berouwvol gezicht, maar aan de twinkeling in zijn ogen ziet Mie dat die berouwvolle blik maar komedie is.

„Wat heb je uitgespookt?"

„Ik wil jou wel eens verwennen."

„Hoe dan?" Er komt een blik in de ogen van Mie die het midden houdt tussen nieuwsgierigheid en afkeuring.

„Met dit pakje, maar ik wil eerst een zoentje."

„Doe niet zo gek, joh, geef nou maar." Mie krijgt er zelfs een kleur van en ze wil het pakje grijpen, maar Nard houdt het achter zijn rug. Nadat hij een opgeknapt meubeltje voor een goede prijs verkocht had, kwam het zomaar in hem op Mie eens te verrassen en dus kocht hij in een winkeltje een mooi halskettinkje met een felgekleurde steen in de vorm van een hartje eraan. In een kruidenierswinkeltje ernaast kocht hij toen ook maar een zakje koekjes om tegelijkertijd de kinderen te verrassen.

„Eerst een zoentje," dringt Nard aan, maar als hij dan de blos op de wangen van zijn vrouw ziet met de verwachtingsvolle blik in haar ogen, wacht hij niet tot zij hem zijn zoentje geeft, maar drukt hij zelf zijn mond op de hare en knelt haar stevig in zijn armen. Mie beantwoordt zijn kus en legt haar hoofd dan tegen zijn borst en als zij hem weer aankijkt blinken er tranen in haar ogen. De spanningen van de laatste maanden hebben veel van haar zenuwen gevergd, maar nu is ze gelukkig. Ze neemt het hoofd van Nard in haar beide handen en kust hem innig op zijn mond.

„Ik hou van je, lieverd," zegt ze zacht en als Nard gaat zitten kruipt ze als een aanhalig poesje op zijn knie. „Mag ik het cadeautje nou zien?"

„Hier, maak maar open." Nard geeft haar een doosje en als zij het opent slaakt ze een kreet van verbazing. Het is niet eens zo'n heel duur kettinkje, maar ze is er dolblij mee. Elke cent hebben ze altijd moeten omdraaien alvorens hem uit te geven, zodat er voor een cadeautje niets overbleef. Zuinigheid is een deel van haar leven geworden.

„Dat is toch veel te gek," stamelt ze dan ook, maar Nard wuift haar bezwaren weg.

„Je hebt de laatste maanden narigheid genoeg gehad, schatje, dus een verrassing leek mij wel op haar plaats. Vind je het kettinkje mooi?"

„Prachtig." Ze springt van zijn knie, doet het kettinkje om en loopt naar een spiegeltje op de schoorsteen om zich te bekijken. „Prachtig!" zegt ze nogmaals en slaat haar armen om de nek van Nard en kust hem hartstochtelijk, maar dan laat ze hem schielijk los, want Hein en Nellie stormen binnen.

„Wat heb jij daar om je hals, moe?" vraagt Hein, want het mooie kettinkje en vooral het kleurrijke hartje vallen hem meteen op. Ook Nellie wil het weten en ze rust niet voordat moeder Mie haar het kettinkje even om haar halsje gedaan heeft.

„Een cadeautje van papa," zegt Mie en dan willen de kinderen natuurlijk weten of papa voor hen ook iets meegebracht heeft.

„Ga maar aan de tafel zitten, dan schenkt mama voor jullie een beker chocolademelk in en kijk eens wat ik hier heb." Nard haalt het zakje met koekjes voor de dag en Mie is dan wel verplicht voor de beloofde chocolademelk te zorgen. Voor een doordeweekse dag vindt ze het eigenlijk veel te weelderig, maar het is voor haar een feestdag, dus mogen de kinderen er ook wel van meeprofiteren.

„Breng je voor mij morgen ook zo'n kettinkje mee, papa?" vraagt Nellie, maar Nard verzekert haar dan maar dat dergelijke kettinkjes alleen voor grote mensen bestemd zijn.

„Als jij jarig bent, koop ik voor jou wel een armbandje, goed?"

„Ja, doe je dat, papa? Dan ben ik zes en kan ik het armbandje aan de meisjes op school laten zien." Nellie is al een poos jaloers op haar broertje die iedere dag naar school mag terwijl zij thuis moet blijven. Ze wil ook naar school, maar dat mag pas als ze zes jaar is.

„Het kastje waar ik enkele avonden aan heb gewerkt, heb ik voor een leuk prijsje verkocht, Lou," zegt Nard als hij de volgende dag bij zijn compagnon komt. Hij noemt het bedrag dat hij ervoor gebeurd heeft en wil Lou zijn aandeel uitbetalen, maar Lou schudt zijn hoofd.

„Ik vind dat we een andere regeling moeten treffen, Nard."

„Maar het gaat zo toch goed," vindt Nard, maar Lou is het niet met hem eens.

„Jij koopt die oude spulletjes zelf op, besteedt er vervolgens nogal wat tijd aan om ze op te knappen en dan vind ik het eigenlijk onzin daar nog een aandeel van op te strijken."
„Dat vind ik geen onzin, Lou. Ik maak gebruik van jouw gerij en knap de spulletjes op in jouw schuur. Dan is het toch normaal dat jij deelt in de winst."
„Ik wil het anders, Nard, en stel voor dat jij mij een kwart van de opbrengst van de schillen geeft en dat jij me voor de huur van paard en wagen een vast bedragje betaalt. De opbrengst van de opgeknapte meubeltjes gaat dan helemaal naar jou. Jij hebt het harder nodig dan ik, jongen."
„Als je het zo wilt, is het mij best, hoor!" zegt Nard, maar hij moet even slikken om zijn emotie te bedwingen. Voor rotte vis wordt de Kraai soms uitgemaakt, maar velen kunnen een puntje zuigen aan hoe hij met zijn vrienden omgaat. Die vent heeft een hart in zijn donder en er zijn maar weinig mensen van wie je dat kunt zeggen. „Als je eraan tekortkomt moet je het zeggen, hoor!" wil Nard nog kwijt, maar Lou schudt zijn hoofd.
„Maak je om mij maar geen zorgen, Nard. Ik heb alleen maar voor mezelf te zorgen en geloof me maar als ik zeg dat ik niks tekortkom, integendeel, ik houd zelfs nog iets over om een hit en een schillenwagen te kopen." Het laatste heeft hij lachend gezegd.

Het is niet alleen Lou Otten die niets tekortkomt, maar gedurende de jaren die volgen kunnen ook Nard en Mie zich uitstekend redden. Het is geen vetpot, maar ze hebben het beter dan ze het ooit gehad hebben. De kinderen gaan netjes gekleed naar school en aan de buurt is Mie inmiddels helemaal gewend. Haar vooroordelen van destijds zijn helemaal verdwenen. De Tuit mag dan een slechte naam hebben, maar Mie voelt zich er best thuis. De bewoners zijn arm, maar ze zijn hartelijk en behulpzaam. Als er iets is hoeft ze maar een kik te geven en ze staan voor haar klaar. Omgekeerd helpt Mie ook als haar hulp nodig is en ze doet het met liefde. In de loop der tijd heeft Nard allerlei verbeteringen aangebracht aan hun huisje en het ziet er nu allemaal fris en verzorgd uit. Zelfs Ploon Pronk, de moeder van Mie, moet bekennen dat het helemaal niet zo'n opgave is te moeten leven in De Tuit.

Toch is er één ding waar Mie en Nard zich zorgen om maken en dat is de gezondheid van Nellie. Ze was zo blij toen ze destijds ook naar school mocht, maar nu moet ze vaak verzuimen omdat haar zwakke gezondheid het niet toelaat storm en regen te trotseren en dat is nodig, want van De Tuit naar school in de kom van het dorp is het nog een flink eindje lopen. Ze ligt vaak in bed en als ze op is probeert ze zich in huis te vermaken. Tegen de tijd dat ze haar vader thuis verwacht zit ze voor het raam en speurt de laan af of ze hem nog niet ziet komen. Nu het november is en alweer vroeg donker, ziet ze aan de slingerende lantaarn dat hij met de schillenkar in aantocht is. Nard is gek op zijn dochtertje en altijd maakt hij een halfuurtje vrij om met haar te spelen. Ook op die natte en winderige dag eind november waarop 's morgens de klokken van alle kerken worden geluid wegens het overlijden van koning Willem III.

In het voorjaar en in de zomer is het plezierig er met de schillenkar en de hit op uit te trekken, maar met guur, winderig en nat herfstweer is het geen lolletje. Het wordt nog erger als enkele dagen later de vorst invalt. 's Nachts vriest het zó streng dat het 's morgens niet verantwoord is er met paard en kar op uit te trekken.

„De mensen bewaren de schillen wel, Nard. Ze zullen best begrijpen dat je bij deze strenge vorst enkele dagen overslaat," zegt Mie als Nard het er na twee dagen weer op wil wagen.

„Het is pas eind november, dus zal de vorst niet lang aanhouden," geeft Nard zijn vrouw gelijk, maar het weer verandert de volgende dagen niet. Pas rond Sinterklaas wordt het zowel 's nachts als overdag minder koud en kan Nard de weg weer op.

Het wat zachtere weer houdt echter maar enkele dagen aan en dan gaat het pas echt streng vriezen. Nard zit werkeloos thuis, want in de schuur van Lou is het ook niet te harden van de kou. „Ik heb genoeg werk, want er staan bij Lou in de schuur genoeg meubeltjes die wachten op een opknapbeurt, maar het gaat niet," zegt Nard met een spijtig gezicht. „Het vriest binnen net zo hard als buiten en bij zo'n temperatuur valt niet te werken."

„Heb je de aardappelen wel voldoende toegedekt, Nard?" vraagt Mie bezorgd. Nard schrikt van de vraag van zijn vrouw. Hij heeft de aardappelen wel toegedekt, maar of het laagje stro dik genoeg is om de aardappelen tegen deze, voor de tijd van het jaar, uitzonderlijk strenge vorst afdoende te beschermen, betwijfelt hij. Vlug gaat hij naar de schuur en gooit voor alle zekerheid nog een bos stro over de piepers en hoopt dan maar dat de vorst er geen vat op zal hebben. Het is ijdele hoop, want de strenge vorst houdt aan en de aardappelen bevriezen. Het grootste deel van zijn tuintje heeft hij benut voor de teelt van aardappelen en zijn inspanning werd beloond met een goede oogst. Nu rest er van die oogst niets anders dan een hoop rottende en stinkende smurrie.

Er moeten aardappelen gekocht worden en ze zijn, door de grote vraag, extra duur. „Daar gaat ons spaarpotje, Nard," zegt Mie met een triest gezicht, want naast de aardappelen zal er binnenkort ook al nieuwe brandstof moeten worden gekocht. Vanwege de kou kan Nellie niet naar school en ook thuis zit ze te rillen. Mie kan het niet aanzien en ze stookt het fornuis extra op, maar dat kost veel cokes en turf.

„Vorst of niet, ik ga de weg weer op, vrouw," zegt Nard. „Als er alleen maar geld af gaat en er niets bij komt, zitten we vlug aan de grond." Hij heeft gelijk, maar hij legt zichzelf en de hit zware beproevingen op. Zelf zit-ie te rillen op de bok en bij het paard hangen de ijspegels aan zijn neusgaten. Op straat in de stad komt hij huiverende mensen, paars van de kou, tegen en zelf is-ie er ook niet beter aan toe. Af en toe stampt hij zichzelf warm en zorgt ervoor dat de hit niet te veel afkoelt door hem toe te dekken met een deken.

„Wat is er gebeurd, schat?" vraagt Nard als hij die middag thuiskomt en zijn vrouw huilend in de huiskamer aantreft.
„Ik kan er niet meer tegenop, jongen," snikt ze. „Nellie is echt erg ziek en de brandstofvoorraad slinkt met de dag. Als het zó streng blijft vriezen zullen we met een week door de voorraad heen zijn."
Nard moet even slikken, want hij moet haar vertellen dat het geen doen is met deze strenge vorst schillen op te halen en dat de verdiensten dus stilstaan, zodat ze alweer aangewezen zijn op de weinige spaarcentjes die nog over zijn. Hij zegt het ook, maar Mie schudt haar hoofd. „Er is onvoldoende geld om er zowel brandstof als eten voor te kopen, Nard en het een gaat niet zonder het ander."
„Hoe bedoel je dat?"
„Als we onze laatste spaarcentjes besteden aan eten dan moet dat toch ook bereid worden en daar is brandstof voor nodig."
„Uiteraard, maar we hebben ook brandstof nodig om ons en vooral Nellie te verwarmen."
„Daarom zit ik zo in de put, Nard. Er moet iets gebeuren, want zo gaat het niet langer. Zo'n winter heb ik nog nooit meegemaakt." Mie zegt het, maar ze weet niet dat het nog veel erger zal worden.
„Ik ga naar Lou om hulp, schat. Achter zijn huisje staat een geriefbosje dat nog niet helemaal gekapt is. Ik zal vragen of ik de rest mag kappen."

„Je gaat je gang maar en ik zal je er wel een handje bij helpen, Nard," zegt Lou spontaan. Ook hij maakt zich zorgen om de kinderen van zijn vriend, die hij in de loop der jaren een beetje als zijn eigen kinderen is gaan beschouwen. Heintje loopt bij hem in en uit en met kleine Nellie heeft hij een heel speciale band. Als kleuter mocht zij al op zijn rug paardjerijden en hem aan zijn oren naar alle hoeken van de kamer sturen. Schaterlachen deed zij als ze hem met opzet naar de tafel stuurde en hij zich er zogenaamd lelijk aan stootte. Haar tanende gezondheid baart hem dan ook grote zorgen.

Na het kappen en zagen laden ze samen het hout op de schillenkar en dan moet de hit de kou nog maar een keertje trotseren om het vrachtje naar De Tuit te rijden. Daar worden ze opgewacht door de buren, die er even slecht, zo niet slechter, aan toe zijn dan zij. Huiverend en diep weggedoken in de kraag van hun jas kijken ze met jaloerse blikken naar de vracht hout, maar ze durven niks te vragen.

Maar in De Tuit is het regel dat men elkaar helpt als het nodig is en Nard ziet aan de blikken van de mensen dat ook zij dringend om brandstof verlegen zitten.

„Haal maar een mand," roept ie en dat laten de buren zich geen twee keer zeggen. Ze mogen vervolgens zelf de mand vol maken met grote en kleine brokken, zodat ook zij weer voor enkele dagen vooruit kunnen. En de strenge vorst weet maar van geen wijken.

Het is armoe en ellende troef, maar af en toe is er een lichtpuntje en voor een van die lichtpuntjes zorgt onverwacht Heintje Buurma. Met zijn tien jaren is zijn spankracht groot en bezorgt de strenge vorst hem ook veel ijspret. Van Lou Otten heeft hij een paar schaatsen, die hemzelf te klein geworden waren, gekregen en een betere bestemming had Lou er niet voor kunnen bedenken, want Heintje is er niet alleen erg blij mee, maar, scherp als de schaatsen zijn, is hij er ook iedereen te vlug mee af. Dat komt goed uit, want er worden door de plaatselijke ijsclub tal van wedstrijden georganiseerd. Omdat de nood onder de arme bevolking van het dorp hoog is, bestaan de prijzen uit spek en erwten. Ze zijn beschikbaar gesteld door de rijke boeren die zitting hebben in het bestuur van de ijsclub.

Hein doet mee en wint een paar pond spek en vijf kop erwten. Het is niet veel, maar alle beetjes helpen en Hein is er blij mee. Blij vooral, omdat hij iets kan doen voor zijn zusje dat erg ziek is. Hoe ziek Nellie is weet hij niet, maar aan de gezichten van zijn ouders ziet hij wel dat ze zich ernstig zorgen om haar maken. Vooral als dokter Risseeuw geweest is en bedenkelijk heeft gekeken, ziet hij tranen in de ogen van zijn moeder. „Het kind heeft warmte en goede voeding nodig," heeft hij de dokter horen zeggen. Voor warmte kan hij niet zorgen, maar met spek en erwten meent hij toch iets aan het herstel van zijn zusje te kunnen bijdragen.

„Heb jij al dat lekkers gewonnen?" vraagt Mie verbaasd als haar jongetje met het spek en de erwten thuiskomt. En Heintje knikt. Hij is vooral trots op zijn eerste plaats bij de wedstrijd, want als zoon van de schillenboer uit De Tuit wordt hij door de dorpsjeugd niet echt als gelijkwaardig geaccepteerd. Nu heeft hij bewezen dat hij, als het eropaan komt, ook van wanten weet en dat is wel erg belangrijk voor hem. De lof van zijn moeder komt daar nog eens bovenop en dus is Heintje Buurma die dag een gelukkig jongetje. Toch is zijn hulp bij het lenigen van de nood in hun gezinnetje slechts een druppel op de gloeiende plaat, want de ellende duurt voort omdat de vorst nog steeds niet van wijken weet. In de laatste weken van december komt het kwik zowel overdag als 's nachts niet boven het vriespunt en tegen de jaarwisseling vriest het zó streng, dat de mensen zich nog nauwelijks buiten wagen. In het hele land stijgt de nood en in het kleine dorp aan de Wijde Laak is het niet anders. Alleen de boeren hebben geen krimp, maar die trekken zich, een enkeling uitgezonderd, van de nood van hun medeburgers nauwelijks iets aan.

Nard is te trots om bij de boeren aan te kloppen voor hulp. Als het even kan probeert hij zichzelf te bedruipen met de karige middelen waarover hij beschikt. In de grote schuur achter het huisje van Lou staan nog wat meubeltjes die door hem opgeknapt moeten worden. Hij begint er echter niet aan, maar zaagt ze in stukken en stookt ze op in het fornuis. Het leven van zijn gezin is hem liever dan de mogelijke winst later op de opgeknapte meubeltjes. Zijn gezinnetje is hem alles en evenals Mie maakt hij zich steeds meer zorgen om Nellie. Geld om dokter Risseeuw te kunnen betalen heeft hij niet meer, maar Nellie is er zó slecht aan toe, dat hij, op aandringen van Mie, toch naar hem toe gaat.

„Wij maken ons erg veel zorgen om ons dochtertje, dokter, maar wij hebben geen geld meer om u te betalen." Het is voor Nard een moeilijke boodschap, maar als het om het welzijn van zijn dochtertje gaat, wil hij zich wel vernederen. „Heb ik de laatste tijd over geld gesproken, Buurma?" vraagt de dokter. „Onthoud, beste man, dat je me kunt roepen als je me nodig hebt." Hij weet als geen ander dat in deze uitzonderlijk strenge winter het gezin van Buurma niet het enige in het dorp is dat het uiterst moeilijk heeft. Het dochtertje is weliswaar ernstig ziek, maar met goede voeding, verpleging en voldoende warmte zou zij er toch beter aan toe zijn dan nu. Na zijn bezoek vreest hij zelfs voor haar leven, maar dat zegt hij niet tegen de bezorgde ouders. Maar ook zonder woorden is van het gezicht van de arts af te lezen, dat hij de toestand van kleine Nellie zorgwekkend vindt.

„U moet haar dag en nacht in de gaten houden, want ze is erg zwak," zegt de dokter en uit die woorden leiden Mie en Nard af dat ze ook 's nachts bij hun kleine meid moeten waken. Armoe, kou en honger kunnen ze verdragen, maar de wetenschap dat zij hun dochtertje waarschijnlijk zullen verliezen is slopend. Ze zijn er kapot van en tegen beter weten in vragen zij dokter Risseeuw of hij hun niet wat meer hoop kan geven, maar de dokter haalt zijn schouders op en schudt zijn hoofd. Hij heeft te doen met de radeloze ouders, maar hun hoop geven als de toestand van het meisje hopeloos is, heeft geen zin.

In de laatste dagen van het jaar zakt de temperatuur 's nachts tot zestien graden onder nul en is het in het kleine huisje in De Tuit met wat hout in het fornuis niet warm te stoken. De toestand van Nellie gaat zienderogen achteruit en ondanks alle dekens en oude zakken op haar bedje ligt de kleine meid te bibberen van de kou.

„Wat moeten we nou toch doen, Nard?" vraagt Mie snikkend aan haar man. Het beetje weerstand dat ze nog had, is na het bezoek van de dokter verdwenen.

„Laten we haar maar tussen ons in nemen," stelt Nard voor en daar is Mie het graag mee eens. Ze verwarmen het kind met hun eigen lichaam, waardoor het bibberen ophoudt. Als ze zelf opstaan laten ze het meisje in de bedstee liggen en maken kruiken warm. Ook proberen ze haar wat te laten eten, doch dat lukt maar matig.

Gelukkig is het kort na de jaarwisseling wat minder koud, maar in de week erna slaat de schier eindeloze winter weer genadeloos toe. Nard heeft tijdens die minder koude dagen wat verdiend. Voor een deel van het geld haalt hij verster-kende middelen voor Nellie en voor een ander deel wil hij wat cokes bij de kolenboer halen, maar die is door zijn voorraad heen. Door de aanhoudende strenge vorst is er nauwelijks aanvoer van brandstof. De situatie wordt daar-door nijpend. Nard speurt de omgeving af op zoek naar wat hout en het lukt hem hier en daar wat te sprokkelen, zodat het fornuis brandend gehouden kan worden. Tot voor enke-le dagen had Mie nog wat ingezouten bonen, maar, evenals de zuurkool, zijn die nu op.

Lou Otten komt bijna dagelijks kijken hoe de toestand van Nellie is en ook hij spaart het eten uit zijn mond om vooral de kinderen van Nard en Mie te voeden. Maar ook bij hem raken de voorraden uitgeput. De pot met geitenboter is leeg en op aanmaak van een nieuw voorraadje is geen kijk, want de mangels zijn op, zodat ook de geit van Lou haar honger slechts kan stillen met wat hooi.

Een schandelijke tegenstelling vormen de weelderige ijs-feesten in de buurt van de steden, waar danstenten op het ijs worden verwarmd met brandstof die de noodlijdende bevolking zo bitter hard nodig heeft. Terwijl de rijken genie-ten van de lekkernijen uit de hetebollenkramen, bereiden de bakkers bij gebrek aan voldoende meel, brood, waarin gemalen dakriet wordt meegebakken.

Lou Otten kan de nood van zijn goede vriend en diens gezinnetje niet langer aanzien en hij stelt Nard voor te gaan vissen op het meer.

„Ik wil alles wel doen om aan eten te komen, Lou, maar hoe had jij je dat vissen dan voorgesteld?"

„We hakken een gat in het ijs en dan gaan we vissen."

„Dat is vlug gezegd, maar minder vlug gedaan. Weet jij wel hoe dik het ijs is?"

„Een halve meter als het niet meer is."

„Denk jij daar doorheen te komen?" Nard kijkt zijn vriend met een bedenkelijk gezicht aan en heeft er een hard hoofd in.

„Als we het niet proberen, lukt het zeker niet," vindt Lou en dus gaan ze, gewapend met bijlen en vistuig, naar het meer. Daar aangekomen blijkt het schier onbegonnen werk door de dikke ijslaag heen te komen, maar na enkele uren zwoegen is het toch gelukt. Het voordeel van het harde werken is dat ze er warm door geworden zijn, maar vervolgens moeten ze stilzitten om vis te verschalken en dan koelen ze dubbel af. Beide mannen zijn echter wel wat gewend en om beurten hollen ze een rondje op het ijs en slaan ze zichzelf warm.

„Zo, dat begint goed," zegt Lou tevreden als hij er binnen korte tijd in slaagt ettelijke vissen op te halen. „Ga jij even door terwijl ik een bos riet snij," stelt hij voor en Nard neemt het graag van zijn vriend over, maar hij wil wel weten wat deze met een bos riet moet doen.

„Wil je een hutje op het ijs bouwen?" vraagt-ie, maar Lou schudt lachend zijn hoofd.

„Ik merk wel dat jij geen echte stroper bent," grinnikt hij.

„Nee joh, als we straks stoppen dan steken we die bos riet in het gat en dan zitten er morgenochtend enkele lekkere palingen in."

„Dus terwijl wij slapen gaat de vangst gewoon door," concludeert Nard met een tevreden glimlach en hij prijst de vindingrijkheid van zijn vriend, maar deze beweert dat het een oud foefje is.

„Het is geen uitvinding van mij en dat weten anderen ook. We zullen morgenochtend dus wel vroeg moeten gaan kijken, want anders zijn andere liefhebbers ons voor," waarschuwt Lou.

Als ze de volgende morgen vroeg terug naar dezelfde plek gaan, vinden ze de bos riet onaangeroerd. Het is bitter koud en ze hebben de grootste moeite de bos riet uit het gat te trekken, maar dan wordt hun moeite beloond, want er zitten enkele flinke palingen in. Samen met de vangst van de vorige dag is er weer voor enkele dagen eten en Lou zorgt ook nog voor wat brandstof, zodat de vis ook gekookt kan worden.

Nard en Mie hopen dat hun zieke dochtertje door de vis wat zal aansterken, maar het meisje is te zwak om te eten en als de dokter uit zichzelf weer komt kijken hoe het patiëntje het maakt, kan hij de radeloze ouders geen hoop meer geven. Met het doodzieke kind tussen hen in, liggen ze met nietsziende ogen in het duister te staren, maar eindelijk vallen ze beiden, zonder het te willen, van uitputting in slaap, om kort daarna met een schok wakker te worden.

„Ze is helemaal koud, Nard," huilt Mie, de deuren van de bedstee open duwend zodat er wat licht van het lampje naar binnen kan schijnen.

„Nee toch!" Nard verstijft van schrik en hij snikt het uit van verdriet als hij zijn hand op het borstje van zijn lieveling legt en geen hartslag meer voelt.

„Is ze dood?" Mie zit rechtop in het bed en is ten prooi aan een hevige emotie als Nard knikt en een arm om haar heen slaat.

„Ze hoeft geen honger en kou meer te lijden, schat," probeert hij zijn diepbedroefde vrouw enigszins te kalmeren, maar Mie is radeloos. Ze huilt met gierende uithalen en daardoor wordt ook Heintje wakker. Ook hij loopt al dagen met rode ogen van het huilen rond, want aan de reacties van de dokter en zijn ouders heeft hij allang gemerkt, dat de situatie hopeloos is. Nu hij het panische huilen van zijn moeder hoort weet hij dat zijn zusje dood is. Rillend van de kou staat hij voor de bedstee en als hij dan zijn dode zusje en de tranen van zijn ouders ziet, laat hij zijn hoofd op het bed vallen en snikt het uit van pure ellende.

Nard komt als eerste een beetje bij zijn positieven en probeert zijn vrouw en zoontje wat te kalmeren. Hij kleedt zich aan en adviseert de anderen dat ook te doen. Nellie blijft alleen in de grote bedstee achter. Mie trekt zorgvuldig de dekens over haar meisje heen als wil zij haar nog beschermen tegen de kou. Zij is radeloos van verdriet, maar toch dringt de rauwe werkelijkheid maar langzaam tot haar door. „Gaan jullie maar naar de keuken, dan zal ik het fornuis wat opstoken," zegt Nard. Zelf sluit hij ook de deuren van de bedstee en kleedt zich aan om naar buiten te gaan.

„Wat ga je doen, Nard?" vraagt Mie. Ze is verdoofd door de klap en kan haar gedachten nog niet ordenen.

„Ik ga naar de dokter en naar de pastorie, schat. Ik zal de buurvrouw vragen te komen helpen bij het afleggen van Nellie."

„Ja, doe dat, Nard; we gaan ons meisje goed verzorgen." De gedachte nog iets voor haar dochtertje te kunnen doen, geeft Mie wat kracht. Nog niet zo lang geleden heeft ze geholpen bij het afleggen van een oude overleden vrouw. Het was de inwonende moeder van een van de buurvrouwen. Ze weet dus wat haar te doen staat. Toen vond ze het eng, maar nu het haar eigen kind betreft voelt ze geen angst of schroom, maar spreekt haar moederhart. Haar lieveling moet haar mooiste jurk aan en in haar haar zal ze een kleurrijke strik knopen, want daar houdt Nellie zo van. Maar dan beseft ze weer dat haar meisje niets meer kan voelen en nergens meer van kan houden en dan gaat ze aan tafel zitten, steunt haar hoofd in haar handen en huilt, zoals ze nog nooit gehuild heeft. Haar schouders schokken, maar dan voelt ze een arm om haar heen en als ze haar hoofd optilt kijkt ze in de betraande ogen van haar zoontje.

„Och, lieve jongen," stamelt ze, „jij hebt ook veel van je zusje gehouden, hè?" En als Heintje heftig knikt drukt ze hem onstuimig tegen zich aan en dan laten ze beiden hun tranen de vrije loop.

Zo vindt even later Ina Hoogeveen, de vrouw van de stoelenmatter, de twee. Ze is door Nard gevraagd Mie te helpen bij het afleggen van Nellie en natuurlijk is ze daarna meteen in actie gekomen. Aangestoken door het verdriet van de buurvrouw en haar zoontje stamelt ze half huilend haar deelneming met het grote verlies en dan doen de twee vrouwen zwijgend en secuur wat er gedaan moet worden. Als dokter Risseeuw komt, vindt hij het meisje al keurig verzorgd op haar eigen bedje. Hij moet officieel de dood vaststellen, maar het is een formaliteit, want al een hele poos heeft hij het zien aankomen. Het valt hem nog mee, dat het kind het zo lang volgehouden heeft. Voor haar kon en kan hij niets meer doen, maar om de moeder moet hij zich nu toch echt bekommeren, want verdriet, kou en honger hebben het vrouwtje gesloopt. Hij weet dat hij de zorg voor het lichamelijk welzijn heeft en de pastoor de geestelijke verzorging voor zijn rekening neemt, maar nu wil hij de zaak toch wel een keer omdraaien. Het plan van pastoor Houtman voedsel in te zamelen om krepeergevallen te helpen juicht hij van harte toe, maar hij vindt dat snelheid geboden is en dat vrouw Buurma een van de eersten zal moeten zijn die geholpen worden. Maar als meneer pastoor bij het kleine huisje in De Tuit aankomt, probeert hij toch eerst de geestelijke nood in het gezinnetje te lenigen. Gezamenlijk bidden zij voor het zielenheil van Nellie en als de pastoor en de dokter vóór hun vertrek nog even overleggen, wordt er een afspraak gemaakt voor de zo noodzakelijke voedselverstrekking.

Enkele dagen later volgt een kleine stoet mensen de handkar van de stoelenmatter, met daarop het eenvoudige kistje, van De Tuit naar de kerk in de kom van het dorp. Het is niet het enige sterfgeval in het dorp en de grafdelver heeft dan ook een hopeloze taak, want de vorst zit inmiddels heel diep in de grond.

Rillend van kou en verdriet gaan de mensen na de plechtigheid huiswaarts. Lou Otten komt nooit in de kerk, maar voor zijn goede vrienden en vooral voor de kleine meid, op wie hij zo dol was, wilde hij graag een uitzondering maken. Op verzoek van Nard en Mie gaat hij bij aankomst in De Tuit nog even mee naar binnen en praten ze wat na over de plechtigheid. Waardering hebben ze voor meneer pastoor, die heel gevoelig gesproken heeft. „Ze was al een engeltje voordat ze overleed," zei hij en die woorden deden hun goed.

Als Lou naar zijn eigen huis gaat, blijven ze met hun drieën achter en dan voelen ze pas hoe leeg het huis is zonder Nellie. Maar niet alleen het huis is leeg; er is ook een leegte in hun gevoel. Tot nu toe waren ze tot en met deze ochtend met het lieve kind bezig, maar nu is alles achter de rug. Het is zo onwezenlijk!

Als er volk aan de deur is, worden ze weer even afgeleid. Het is dokter Risseeuw en hij komt niet met lege handen. „Een beter medicijn kan ik niet geven, mensen," zegt-ie, een mandje met wat etenswaren op de tafel zettend. „Ik weet dat verdriet erger is dan honger, maar allebei tegelijk is het ergste." En fluisterend tot Mie: „Je hebt nog een jongetje over om voor te zorgen, vrouw Buurma. Zorg dat je zelf weer wat op krachten komt. Zolang de strenge vorst aanhoudt zal ik er, met de hulp van meneer pastoor, voor zorgen dat je, net als vandaag, geregeld een mandje met wat voedsel krijgt. Sterkte, hoor!"

„Een dokter met een hart," zegt Nard ontroerd als de arts weg is en Mie is het met hem eens. Toch is de nood in het gezinnetje van Mie en Nard Buurma niet het enige waar de dokter zich zorgen om maakt. De aanhoudende strenge vorst, de geringe verdiensten en de stagnerende aanvoer van levensmiddelen of grondstoffen hebben vele dorpelingen in de problemen gebracht. In het dorpshuis wordt één keer per dag erwten- of bonensoep uitgedeeld, maar omdat een groot deel van de bevolking er slecht aan toe is, wordt de spoeling steeds dunner, want de bodem van de armenkas is in zicht.

Lou Otten is te trots om naar het dorpshuis te gaan, maar ook hij begint gebrek te lijden. Nard heeft thuis geen rust en loopt maar eens naar zijn vriend. Daar is-ie, zoals altijd, van harte welkom. Ze wisselen wat nieuwtjes uit en Lou heeft nog wat tabak, zodat ze samen hun pijp kunnen stoppen. Nard blaast kringetjes van rook en kijkt ze aandachtig na. Dan zucht hij eens diep en kijkt Lou met moedeloze ogen aan.

„Heb je het er nog zwaar mee?" vraagt Lou en Nard, die meteen begrijpt waar zijn vriend op doelt, knikt.

„Ik wilde zo weinig mogelijk kinderen om mijn droom van een eigen bedrijfje te kunnen verwezenlijken, maar nu ik mijn dochtertje verloren heb, voel ik me doodongelukkig. Alles zou ik willen opgeven, slavenwerk zou ik willen verrichten als ik daarmee mijn kind terug zou kunnen krijgen."

„Ik begrijp hoe je je voelt, Nard. Zelf mis ik Nellie ook meer dan ik kan zeggen, maar je hebt nog een zoontje. Als deze eindeloze en strenge rotwinter ooit eindigt, dan kunnen we allemaal onze krachten terugwinnen. Geef je beste krachten dan aan Hein, want de knaap verdient het. Het is een jongen met pit en hij is nog leergierig ook."

„Je hebt gelijk, Lou. Dokter Risseeuw zei iets soortgelijks tegen Mie. Wij zullen zijn en jouw advies ter harte nemen."

Er gaat een zucht van verlichting door de bevolking als in de vierde week van januari, na twee maanden bijna aanhoudend strenge vorst, eindelijk de dooi invalt en de temperatuur draaglijker wordt. Nard kan er weer met paard en wagen op uit, maar er zijn nog weinig schillen op te halen, want aardappelen zijn schaars en duur. Maar het zijn niet alleen de aardappelen die duur zijn, ook brood is sterk in prijs gestegen door de geringe aanvoer van grondstoffen. Nard zit moedeloos op de bok van de schillenwagen. Hij is eigen baas maar hij beleeft er weinig lol aan. Het verdriet om het verlies van Nellie knaagt nog elke dag aan hem en als hij 's avonds thuiskomt vindt hij Mie met rode ogen en de handen in haar schoot zittend op een keukenstoel. Kou hebben ze niet meer, maar de levenslust is uit beiden verdwenen. Ze hebben geluisterd naar de goede raad van de dokter en van Lou Otten, maar het beeld van hun wegkwijnende kind kunnen ze niet van zich af zetten. Toch beseffen zij dat Heintje recht heeft op hun aandacht en liefde. Hij is bijna elf en probeert van alles om zijn ouders op te vrolijken. Zelf heeft hij ook intens verdriet gehad door het overlijden van zijn zusje, maar kinderen groeien eerder over hun verdriet heen dan ouderen.

HOOFDSTUK 5

Evenals veel kinderen van arbeiders heeft ook Hein Buurma gedurende de afgelopen strenge winter vele malen de lessen op school verzuimd en is daardoor achterop geraakt. De boerenkinderen waren goed gevoed en hadden warme kleren. Zij hoefden niet te verzuimen. Hein heeft een helder verstand en hij was de kinderen van zijn klas altijd te slim af. Het zint hem dus helemaal niet dat hij nu tijdelijk hun mindere is. Ze dreven al vaak de spot met hem omdat hij er een uit De Tuit is, maar nu hij met de lessen achterop geraakt is, begint het op pesten te lijken. Maar Hein is er de jongen niet naar om zich op zijn kop te laten zitten en zijn heldere verstand helpt hem erbij de anderen tijdens de lessen weer vlug de baas te zijn.

Wie nooit meedeed aan die pesterijen is Leen van Meurs. Hij is de oudste zoon van de rijke boer Teun van Meurs en hij is de aangewezen persoon om zijn vader later als boer op hun hoeve op te volgen. Toch ziet het er niet naar uit dat dat gebeurt, want het wordt steeds duidelijker dat Leen na de lagere school naar het Klein Seminarie wil om in opleiding te gaan voor priester.

Voor een boerenstel is het een grote eer als een van de zoons priester wordt, maar ondanks dat is het voor Teun en Jaan van Meurs een probleem, want Leen is hun enige zoon. Zij hebben nog een dochter die twee jaar ouder is dan Leen, maar helaas is het meisje niet helemaal normaal. Dat een schoonzoon ooit de nieuwe boer op de Wilgenhoeve zal worden is dus nagenoeg uitgesloten. In het dorp heeft het meisje als bijnaam 'malle Mientje'. Hein weet dat Leen er een hekel aan heeft dat de mensen zijn zuster zo noemen en daarom let hij een beetje op zijn woorden als Leen in de buurt is.

Leen heeft in het algemeen een hekel aan ruwe taal en scheldpartijen. Koos Mulder, de zoon van de rietdekker, noemt hem 'een doetje', ook al omdat Leen woest wordt als de jongens nare dingen uithalen met dieren, zoals kikkers opblazen en nesten verstoren. Maar Koos trekt zich er niks van aan en roept: „Ik weet een nest te zitten, Hein, ga je mee?"

Hein kijkt of Leen reageert, maar die heeft het kennelijk niet gehoord. Kikkers opblazen doet Hein nooit, maar als iemand een nest weet te zitten dan gaat hij graag mee om te zien of er al eieren in liggen.

„Wat voor een nest dan?" wil hij weten.

„Een kievitsnest in de polder. Gisteren lagen er al twee eieren in en vandaag is er misschien nog een bij gekomen."

„Veel meer legt de kievit er niet, hoor!" weet Hein. „Je moet er een laten liggen, anders komt de vogel niet meer terug op het nest."

„Ga jij dan maar mee, want jij hebt er kennelijk verstand van," lacht Koos.

„Waarvan?" wil Wim Pompe weten. Wim is de oudste zoon van een boerenknecht en met hem en Koos Mulder trekt Hein vaak op.

„Kom maar mee, dan zul je het wel zien," reageert Koos en zo trekken ze even later, gewapend met een polsstok, de polder in. Het kievitsnest hebben ze al vlug gevonden en er liggen drie eieren in. Koos haalt er twee uit het nest en stopt ze onder zijn pet.

„Ik ga in de slootkanten zoeken, want er zitten hier veel eenden in de polder en ik heb liever eendeneieren dan kievitseieren," zegt Hein. De anderen vinden dat een goed idee en elk van de drie neemt een slootkant voor zijn rekening. Hein vindt algauw een nest met zes eieren. Hij haalt er vijf uit en doet die in zijn pet. De plaats van het nest markeert hij met een tak, want hij wil nog wel een keertje terugkomen om verder te rapen.

Aan het einde van het stuk weiland treffen de jongens elkaar weer en Hein toont trots zijn vondst. Koos heeft ook nog een nest gevonden, maar Wim schudt mismoedig zijn hoofd, want hij heeft niets. Maar dan schiet Koos in de lach en wijst op de klompen van Wim. „Kijk nou, de eierstruif zit aan je klompen, man!"

„Ik heb geen nest gezien," reageert Wim met een beteuterd gezicht en dan moeten Koos en Hein nog harder lachen.

„Kom, we springen over de sloot en gaan ons geluk op het andere weiland beproeven. Ga jij maar eerst, Hein." Hein kan goed met de polsstok overweg, maar de sloot is wel erg breed. Hij stelt dan ook voor een stuk om te lopen en de dam verderop te nemen, maar Koos maakt hem uit voor 'bangeschijter' en dat laat Hein niet op zich zitten. Hij plant de stok midden in de sloot, neemt een aanloop en grijpt de stok. Hij heeft er echter geen rekening mee gehouden dat de sloot nogal modderig is en de stok blijft dan ook in het midden steken en Hein valt schuin weg in de plomp. Hij gaat kopje onder en waadt daarna met moeite naar de kant. Druipend en onder de modder staat hij verwezen naar de andere twee te kijken en die houden hun buik vast van het lachen.

„Dat krijg je er nou van als je mij uitlacht," neemt Wim revanche en Hein lacht dan maar mee. Twee van de vijf eieren in zijn pet zijn gebroken, zodat hij er nog drie over heeft. Ze delen uiteindelijk, zodat ze niet met lege handen thuis hoeven te komen. Voor Hein is dat vooral belangrijk, want hij vreest flink op zijn kop te zullen krijgen.

„Wat is er met jou gebeurd?" schrikt moeder Mie als haar zoon druipend en onder de modder thuiskomt.

„Ik ben in het water gevallen, moe," zegt Hein met een deemoedig gezicht.

„Ja, dat zie ik, maar hoe kan dat dan?" En dan legt Hein uit wat er gebeurd is. Dat hij de waarheid spreekt bewijst hij door haar zijn bemodderde pet met eieren te tonen. „Ik kon er niks aan doen, moe," verontschuldigt hij zich.

„Doe dan ook niet zulke gevaarlijke dingen, jongen. Ik schrik me een ongeluk. Je had wel kunnen verdrinken." Terwijl Hein in het schuurtje zijn bemodderde kleren uittrekt en zichzelf met water schoonspoelt, dreunen bij Mie de woorden 'je had wel kunnen verdrinken' nog na in haar hoofd. Ze moet zich even aan de muur vasthouden om bij haar positieven te komen en dat schrikbeeld van zich af te zetten. De schier eindeloze koude winter heeft plaatsgemaakt voor lekker zonnig weer en ze hebben voldoende te eten, maar het verlies van haar dochtertje voelt nog aan als een open en schrijnende wond. Het is ook nog maar kort geleden dat alle rampspoed over hun gezinnetje kwam. En dan komt Heintje doodleuk thuis met de boodschap dat-ie in het water gevallen is. Voor hetzelfde geld was-ie verdronken en waren zij en Nard wederom overspoeld met onpeilbare ellende. Haar jongetje dood; ze moet er niet aan denken. Eens te meer beseft ze wat een broos en kostbaar bezit kinderen zijn. Nellie is dood, maar Heintje leeft. Heintje mag ze niet meer zeggen, want daar voelt haar jongetje zich met zijn twaalf jaren al te groot voor. Maar die kwajongen, die waaghals die met zijn vrienden de polder in trekt om eieren te zoeken, die deugniet is haar lieveling. Vlug haalt ze schoon goed en loopt ermee naar de schuur, waar Hein zich juist afdroogt. Als ze de schuur binnenkomt voelt hij zich in zijn naaktheid betrapt en houdt vlug de handdoek voor zich. Ook dat nog, gaat het door Mie heen. Heintje werd Hein en het kind is daarmee ook een beetje man geworden.

„Hier heb je droge kleren; als je je aangekleed hebt kom dan maar binnen, want dan zal ik een beker warme melk voor je klaarmaken," zegt ze.

„Ben je dan niet meer boos, moe?"

„Kleed je nou maar aan!" Ze doet nog een beetje bokkig, maar boos is ze niet. Nee, ze is dolgelukkig dat haar kind gezond is en dus kwajongensstreken uithaalt met vrienden.

„Heb je erg op je kop gehad thuis?" vragen Wim en Koos om beurten als Hein de volgende dag weer op school komt. En dan schudt Hein zijn hoofd en vertelt dat zijn moeder blij was dat hij niet verdronken is. „En je vader?"

„Moe heeft hem er niks over verteld."

„Dan mag jij wel zuinig zijn op zo'n moeder," meent Wim. „Als ik zo nat en onder de modder thuisgekomen was, zou ik er niet zo makkelijk van afgekomen zijn." Hein krijgt geen kans meer om te reageren, want meester Dongemans, die de hoogste klassen voor zijn rekening neemt, luidt de bel ten teken dat iedereen naar binnen moet.

De dag verloopt zoals iedere andere schooldag, maar aan het eind van de dag vraagt de meester Hein even na te blijven. Hein schrikt en denkt dat hij alsnog ter verantwoording geroepen wordt voor hetgeen hij de dag ervoor met zijn vrienden heeft uitgespookt. Misschien heeft Leen van Meurs toch gehoord wat Koos Mulder geroepen heeft en heeft hij de bovenmeester ingelicht. Maar waarom moet hij alleen schoolblijven en mogen Koos en Wim gewoon naar huis gaan?

Hij krijgt er een kleur van en meester Dongemans die het ziet, stelt hem gerust door te zeggen dat er niets aan de hand is, maar dat hij even met hem wil praten.

Vooral na de uitzonderlijk strenge winter, waarin veel kinderen, waaronder Hein Buurma, lessen moesten verzuimen, is het hem opgevallen hoe gemakkelijk Hein de draad weer oppakte en hoe snel hij zijn achterstand heeft ingehaald. Eigenlijk had hij niets anders verwacht, want Hein is een begaafde leerling. Nog een goede maand en dan zal hij de school verlaten en wat zal er dan met de jongen gebeuren? Het zou zonde zijn als deze intelligente jongen de weg zou gaan die alle arbeiderskinderen na beëindiging van hun schooltijd moeten kiezen.

„Ik heb je gevraagd na te blijven om nu al even met jou van gedachten te wisselen over je toekomst na beëindiging van je schooltijd. En dat is al heel gauw, zoals je weet," zo begint meester Dongemans als de andere kinderen weg zijn.

„Mijn toekomst?" Hein kijkt de meester niet-begrijpend aan.

„Ja, je toekomst of met andere woorden: wat wil je worden?"

„Dat weet ik niet, meester. Ik denk boerenknecht of met mijn vader mee op de schillenkar."

„Maar zou je geen vak willen leren en naar de tekenschool gaan?"

„Ik denk niet dat dat gaat, meester. Mijn ouders hebben maar heel weinig geld. Het spaarpotje dat mijn moeder had, is de afgelopen winter opgegaan aan eten en brandstof."

„Ja, dat begrijp ik, jongen. De spaarpotjes van de meeste mensen zijn leeg, maar ik vind het, eerlijk gezegd, zonde als jij niet wat nuttigs doet met je goede verstand. Zeg maar tegen je vader dat ik een dezer dagen langskom om met hem te praten."

„Goed, meester, dat zal ik doen. Dag, meester!"

„Wat ben je laat," zegt Mie als Hein later dan gewoonlijk uit school komt. Ze zorgt altijd dat ze thuis is als ze hem uit school verwacht. Samen drinken ze dan een kop thee en dat vindt ze gezellig.

„De meester wilde even met me praten."

„Waarover?"

„Over mijn toekomst. Hij vroeg wat ik wilde worden en toen ik zei dat ik gewoon boerenknecht zal worden of met pa op de kar mee zal gaan, zei hij dat jammer te vinden. Hij vroeg of ik niet liever een vak wou leren en naar de tekenschool gaan."

„Naar de tekenschool? Dat kunnen wij toch niet betalen, jongen?"

„Dat heb ik de meester ook gezegd, maar hij wil er kennelijk toch nog met jullie over praten, want ik moest zeggen dat hij een dezer dagen even langskomt."

„Meester Dongemans?" Mie moet even slikken. Zelf heeft ze vroeger bij meester Dongemans in de klas gezeten en Nard ook. En de meester komt nou persoonlijk naar hen toe. Ze moet even aan het idee wennen en als Nard van zijn schillenwijk thuiskomt, begint ze er meteen over.

Ook Nard is vereerd dat de meester zoveel notitie van zijn zoon neemt, maar echt verrast is hij als hij hoort dat hij langskomt om over Hein te praten.

„Het maakt me gewoon een beetje zenuwachtig," zegt Nard en Mie knikt.

„Wat zou je van mij denken? De meester zelf hier bij ons in huis. Stel je dat eens voor!" De dokter, de pastoor en de schoolmeester zijn in de ogen van de eenvoudige dorpelingen ver boven hun eigen stand verheven en ze zien dan ook hoog tegen hen op.

Lang hoeven Mie en Nard niet op de komst van meester Dongemans te wachten, want twee dagen later meldt hij zich al bij hun huisje in De Tuit.

„Kom binnen, meester," zegt Nard buigend. „Zal ik uw hoed aannemen?" En Mie vult aan: „Kijk maar niet naar de rommel, meester."

„Ik zie geen rommel, Mietje; of moet ik nu mevrouw Buurma zeggen?"

„Nee, zeg alstublieft gewoon Mie. Belieft u een kopje koffie?"

„Ja, graag; dat praat wat makkelijker, hè?" En als hij zit en de koffie is ingeschonken, dan vraagt hij eerst hoe het met hen gaat zo kort na het overlijden van hun dochtertje. „De kinderen van de klas waar Nellie in zat, waren ook erg van streek, want Nellie was erg geliefd bij haar vriendinnetjes," zegt hij en die uitspraak doet de zo zwaar beproefde ouders erg goed. Zij beseffen dat de dood van hun kind ook anderen verdriet gedaan heeft en de meester vertaalt hun gevoel en zegt: „Gedeelde smart is halve smart, luidt het gezegde en dat is vaak maar al te waar. Te bedenken dat anderen met je meeleven geeft ook in deze trieste gevallen enige troost."

„Dat is waar, meester. De mensen zijn erg aardig voor ons en die troost hebben we wel nodig, want we hebben met die strenge winter, de ziekte en ten slotte de dood van ons meisje een zware tijd gehad en nog, want we zijn er nog lang niet overheen."

„Dat kan ik begrijpen, want een kind verliezen is het ergste wat een mens kan overkomen. Helaas heeft de afgelopen strenge winter veel ellende, ziekte en sterfgevallen veroorzaakt. Veel kinderen, waaronder jullie zoon, hebben de lessen op school ook vaak moeten verzuimen."

„De jongen met een lege maag door de kou naar school laten gaan wilden we niet, meester."

„Ik neem het jullie ook niet kwalijk, maar weet je wat het wonderlijke is? Hein heeft er geen nadelige gevolgen van ondervonden. Sneller dan de anderen had hij de achterstand ingehaald en nu is hij iedereen weer te slim af. De enige die hem bij kan houden is Leen van Meurs."

„Volgens Hein wil die zoon van Teun van Meurs voor priester gaan leren," zegt Nard en de meester knikt.

„Dat heb ik ook begrepen en ik ben er trots op dat een van mijn beste leerlingen zich tot dat verheven ambt geroepen voelt. Ook voor de ouders is het een eer, maar het geeft voor hen ook problemen, want Leen is hun enige zoon en dochter Mientje blijft zo goed als zeker ongetrouwd en die haar kennen weten wel waarom."

„Ik weet het en ik vind het zielig voor die mensen," reageert Mie.

„Zo zie je dat ieder huisje zijn kruisje heeft, mensen. Maar, net als zij, kunnen jullie trots zijn op je zoon."

„Dat zijn we ook, meester," bevestigt Nard de woorden van de bovenmeester. „Hein is erg serieus in zijn hele doen en laten en, zoals u al zegt, heeft hij gelukkig een goed stel hersens."

„Precies, zoals je zegt, Nard, en het eigenlijke doel van mijn bezoek is juist daarover met jullie te praten. Toen ik Hein vroeg wat hij wilde worden vermoedde hij dat dat wel boerenknecht zou zijn. Als tweede mogelijkheid bleef over jou te helpen bij het ophalen van schillen."

„Over dat gesprek met u heeft hij verteld en ook dat u hem wil laten doorleren."

„Het zou zonde zijn als Hein de kans niet zou krijgen om naar de tekenschool te gaan en een vak te leren, Nard."

„We zouden hem die kans graag geven, maar we hebben het geld er niet voor. Het spaarpotje dat we hadden was aan het einde van de winter leeg en we hebben nu elke cent nodig voor kleren, eten en brandstof voor het fornuis."

„Ik kan niet over jullie beurs beschikken, maar ik vind het wel erg jammer dat een begaafde leerling als Hein zich niet verder kan ontwikkelen, temeer daar hij volgens mij erg ambitieus is."

„Ambitieus?" Nard begrijpt niet precies wat de meester hiermee bedoelt.

„Ik bedoel dat Hein ijverig, ja zelfs eerzuchtig is. Hij zal niet gauw tevreden zijn met wat hij bereikt heeft."

„Dat heeft-ie dan niet van een vreemde," moet Mie even kwijt en het is wel duidelijk dat ze daarbij denkt aan de obsessie van Nard om een eigen bedrijfje te hebben. Ze zegt het ook en de meester knikt.

„Het is wel lang geleden dat je bij mij in de klas zat, Nard, maar ik herinner me dat jij wel ongeveer zo'n zelfde jongetje was als Hein nu. Je kon ook goed meekomen en het was je eer te na voor een proefwerk een lager cijfer te halen dan de anderen."

„Maar ook ik heb nooit kunnen doorleren, meester. Voor ons soort mensen is dat niet weggelegd, hoe jammer u en wij dat ook vinden."

„Misschien veranderen de tijden nog, Nard. Helaas kunnen we nog steeds geen ijzer met handen breken." Het is een wat onbevredigend einde van het gesprek, maar het is niet anders.

Tot nu toe was het voorjaar aan de koude kant, maar mei begint met mooi warm weer. Nard zit op de bok van de schillenkar en Hein zit naast hem. De jongen is in april van school gekomen en moet wat doen voor de kost, dus helpt hij zijn vader voorlopig maar bij het ophalen van de schillen. Meester Dongemans heeft hem bij het afscheid de hand gedrukt en hem het allerbeste gewenst en Hein heeft de meester, zoals zijn vader hem gezegd heeft, bedankt 'voor het genoten onderwijs'.

De meester heeft goedkeurend geknikt, want het zijn wederom slechts Leen van Meurs en Hein Buurma die hem bedankt hebben en Hein zelfs nog erg deftig ook. Hij moest er een beetje om lachen, maar hij heeft het niettemin gewaardeerd.

„Lekker zo in het zonnetje, pa," zegt Hein, die zijn pet naast zich op de bok legt en een vrolijk deuntje fluit. Onwillekeurig neuriet Nard het liedje mee en dan is hij verbaasd over zichzelf. Het lijkt wel of de warme zon het ijs als het ware om zijn ziel doet smelten en de weelderige natuur om hen heen hem terugvoert naar het normale leven. Het uitbundige gefluit van de vogels overstemt het liedje dat Hein fluit en dat hij meezingt. In de natuur bruist het van leven en dan is het niet goed stil te blijven staan bij de dood en zich te schamen om wat vrolijkheid, want dat doet hij.

„Waarom zing je nou niet verder mee, pa?" vraagt Hein als Nard stopt.

„Oh, nergens om, hoor! Fluit maar door, dan zing ik wel weer mee." Nard weet dat Hein evenveel verdriet om de dood van zijn zusje gehad heeft als hij en Mic, maar hij weet ook dat de spankracht van de jeugd groter is dan die van ouderen en dus wil hij zijn jongen niet lastigvallen met zijn tegenstrijdige gedachten. Gelukkig heeft Hein het niet in de gaten en fluit hij het ene deuntje na het andere en Nard doet zijn best de juiste woorden van de liedjes mee te zingen. Maar als ze de stad bereiken en de frisse natuur plaatsmaakt voor de doffe grauwheid van de nauwe straatjes en stegen staken ze het zingen en fluiten.

In een van die nauwe straatjes heeft een vrouw wel een heel bijzondere voorwaarde waaronder zij bereid is schillen te blijven geven. Als zij in het deurgat verschijnt, komt er een schapendoes naar buiten en begint aan alles en iedereen te snuffelen. „Hierrr Rrrobbie!" roept de vrouw. „Dat krrreng loopt altijd meteen weg als ik de deurrr open," zegt ze in haar platte Leidse taaltje.

„Luisterrr schilleboerrr, je ken schille blijve hale as je dat krrreng meeneemt. Hij was van m'n dochterrr, maarrr die is tijdens de strrrenge winterrr overrrleje en nou zit ik met die hond." Het laatste heeft ze huilerig gezegd en Nard voelt met haar mee, maar Hein heeft meer te doen met de hond, die stil bij de deur zit en zijn hand likt als hij hem over zijn kop aait.

„Maar wat moet ik met dat beest aan, vrouw Dissel?" vraagt Nard. Hij voelt er niks voor het beest mee te nemen. Dan maar geen schillen.

„Wat jij met dat beest an mot? Man je komp overrral en je ken best iemand vinde die de hond grrraag wil hebbe. Het is 'n echte schapedoes, dus ken je d'rrr nog poen voorrr krrrijge ook en dat mag je dan allegaarrr zelf houwe."

„Ik voel er niks voor, vrouw Dissel," zegt-ie, maar dan komt Hein in het geweer. Robbie geeft hem netjes pootjes en als hij hem met smekende oogjes aankijkt, is Hein helemaal verkocht.

„Laten we Robbie nou maar meenemen, pa," vindt hij en na eerst nog geprotesteerd te hebben, geeft Nard uiteindelijk toe.

„We zullen zien of we vlug een baasje voor Robbie kunnen vinden," zegt Nard als ze weer op de kar zitten, maar Hein denkt daar anders over.

„Laten we hem nou eerst maar mee naar huis nemen," stelt hij voor. „Moet je nou eens kijken, het beest zit helemaal te trillen. Ik denk dat dat wijf met haar platte taaltje niet erg goed voor de hond geweest is."

„Daar kun je wel eens gelijk in hebben, maar je moet met wat meer respect over onze schillenleveranciers spreken, hoor!" Het laatste heeft Nard lachend gezegd en Hein haakt

erop in door te stellen dat een vrouw die slecht is voor dieren, geen respect verdient.

„Wat heb je daar nou?" vraagt Mie als haar man en zoon met
een hond thuiskomen.
„Dit is Robbie, moe; het is een schapendoes en hij is erg
lief. Kijk maar, hij geeft me een poot." Hein doet zijn best
zijn moeder ervan te overtuigen dat de hond een hele aan-
winst is, maar Mie denkt daar duidelijk anders over.
„Maar wat wil je dan met dat beest en waar komt-ie vandaan?"
„Hij komt van een vrouw die erg slecht voor hem was en ik
wil hem graag houden."
„Daar komt niks van in." En tot Nard: „Waarom sleep je dat
beest dan mee naar hier?" Er klinkt een duidelijk verwijt
door in haar vraag.
„Het is, zoals Hein zegt, een schapendoes en zo'n hond hebben de boeren graag. Ik denk hem vlug weer kwijt te raken,
misschien vang ik er zelfs wat geld voor."
„Oh, dan is het goed, want ik moet het beest hier niet,
hoor!"
„Maar ik wil hem zo graag houden, moe," jengelt Hein,
maar Mie is onverbiddelijk en ze staat erop dat Nard hem
de volgende dag al probeert kwijt te raken. Hein krijgt
knorren omdat hij door blijft zeuren.

's Avonds in bed ligt Mie maar te draaien en ze komt niet in
slaap. Nard merkt het en vraagt wat er aan de hand is.
„Och, niks, ik kan gewoon niet slapen," reageert Mie, maar
Nard gelooft het niet.
„Zit die hond je soms nog dwars?" vraagt-ie.
„Eerlijk gezegd wel, Nard. Niet zozeer de hond alswel het
teleurgestelde gezicht van Hein. Jij vindt toch ook dat we
de hond niet kunnen houden?"
„Nou ja, vinden, vinden; het maakt me eigenlijk niet zoveel
uit. De jongen is er gek mee en het is een mooi hondje."

„Zullen we hem dan maar houden?"

„Ik laat het aan jou over, schat. Als jij er morgenochtend nog zo over denkt, vertel het dan zelf maar aan Hein."

„Meen je het, moe?" Hein springt de volgende morgen een gat in de lucht als Mie hem zegt dat-ie de hond mag houden. Hij is zó blij dat hij de armen om de nek van zijn moeder slaat en haar een zoen op beide wangen geeft.

„Zot jong," zegt Mie met een verlegen lachje. Ze is ontroerd door de blijdschap van haar jongen en zijn spontane gebaar geeft haar de overtuiging dat ze er goed aan gedaan heeft hem de hond te laten houden. Ook hij heeft veel ellende moeten doorstaan en hem nu zo blij te zien is ook voor haar erg fijn.

Hein is door het dolle heen met zijn hond en zonder dat zijn ouders het weten wil hij zijn nieuwverworven bezit de volgende avond al aan Lou Otten laten zien. Hij heeft er echter geen rekening mee gehouden dat Caro, de herder van Lou, baas wil blijven op eigen terrein. Hij gromt dan ook vervaarlijk als Hein met Robbie komt aanzetten en het is dat Lou zijn hond nog net in zijn nekvel kan grijpen, want anders was Robbie er geweest.

„Het beest zou een hartverlamming van de schrik krijgen, Hein. Ik kan wel merken dat jij weinig verstand van honden hebt; waar komt die hond vandaan?" Lou sluit Caro zo lang in de schuur op, zodat hij het hondje van zijn jonge vriend eens goed kan bekijken.

„Neem me niet kwalijk, Lou; ik heb er niet zo gauw aan gedacht dat Caro nijdig zou worden als ik met Robbie zou komen, maar ik wilde je hem zo graag laten zien."

„Al goed, jongen! Het is een echte schapendoes; hoe kom je er aan?"

„Van een vrouw uit de stad." En dan vertelt Hein wat er in de stad gebeurd is en hoe zijn moeder in eerste instantie reageerde. „Maar vanmorgen leek ze totaal van mening veranderd te zijn en toen zei ze me dat ik Robbie mag houden."

„Je moeder zal er een nachtje over geslapen hebben en toen van mening zijn veranderd; dat kan gebeuren, Hein." Lou voelt wel ongeveer aan wat er in de gedachten van Mie Buurma is omgegaan. Ze wilde haar zoon, voor wie ze zich na de dood van haar dochtertje extra uitslooft, bij nader inzien kennelijk niet teleurstellen.

„Ik ben blij dat ik hem mag houden, Lou. Wil je geloven dat hij zich nu al aan mij begint te hechten?"

„Zorg dan maar goed voor hem, want als ik jou zo beluister is hij in de stad veel tekortgekomen."

„Dat zal ik zeker doen, Lou. Als pa het goedvindt neem ik hem mee op de schillenkar."

„Dus jij gaat tegenwoordig met je vader mee om schillen op te halen," concludeert Lou en Hein knikt.

„Ja, en met mooi weer vind ik het best leuk."

„Maar toch niet om altijd te blijven doen," meent Lou. „Voor de afwisseling zou je mij ook af en toe kunnen helpen."

„Met wat dan, Lou?"

„Met fuiken zetten bijvoorbeeld. Kun je goed wakker blijven?"

„Dat denk ik wel."

„Dan zouden we ook samen kunnen gaan peuren; dat heb ik met je vader ook vaak genoeg gedaan."

„Oh, dat lijkt me leuk, Lou. Op mij kun je rekenen."

„Niet te snel van stapel lopen, Hein. Je moet eerst thuis vragen of het goed is."

„Lou heeft gevraagd of ik hem wil helpen bij het zetten van fuiken en hij wil 's nachts ook met me gaan peuren," zegt Hein enthousiast als hij van zijn bezoek aan Lou Otten thuiskomt.

„Ik voel er niks voor om jou op het stroperspad te laten gaan, jongen," reageert Mie op het verhaal van haar zoon.

„Maar ik ga toch samen met Lou!"

„Juist daarom."

„Wat nou 'juist daarom', Mie; met Lou erbij kan er toch niks gebeuren? Die is even glad als de alen die hij vangt." Nard moet zelf lachen om zijn vergelijking.

„Ja, lach jij maar," verweert Mie zich. „Als de veldwachter jullie snapt, beland je misschien wel in de cel."

„Welnee, Mie! Die Pieter Donders brandt zijn vingers liever niet aan de Kraai, wat ik je brom."

Ondanks de bezwaren van Mie gaat Hein enkele dagen later 's avonds met Lou het meer op om fuiken te lichten en ze meteen weer voor een volgende vangst uit te zetten. Hein vindt het prachtig en nog mooier vindt hij het thuis te komen met een heerlijk maaltje paling. Als hij met zijn vader weer op de bok van de schillenwagen zit, raakt hij er niet over uitgepraat. Nard luistert met plezier naar het enthousiaste verhaal van zijn zoon. Hij kan zich de spanning die Hein voelde bij het lichten van elke fuik, goed voorstellen, want als hij zelf met Lou op strooptocht ging, beleefde hij dezelfde sensatie. De laatste tijd komt het er niet meer van met Lou mee te gaan, want overdag hard werken en 's avonds de plas op gaan is nogal vermoeiend. Hij heeft het nu niet alleen druk met het ophalen en afleveren van schillen, maar hij wordt ook hoe langer hoe meer ingeschakeld om vrachtjes te vervoeren. Zo moet hij vandaag naar de meelfabriek om voor enkele boeren wat zakken meel op te halen. Hein probeert ook een zak op zijn schouder te laden, maar dat lukt nog niet erg en bovendien is Nard bang dat de jongen zich vertilt.

„Gooi de zakken maar in de achterste schuur, Nard, want in de voorste schuur ligt veel rommel," zegt de derde boer waar Nard meel moet afleveren. Bij het woord 'rommel' spitst Nard altijd zijn oren, want vaak genoeg vindt hij bij boeren tussen de rommel nog bruikbare spulletjes, althans bruikbaar als hij ze opgeknapt heeft en dat lukt steeds beter.

„Wat ligt er voor rommel, baas?" vraagt Nard langs zijn neus weg en dan vertelt de boer dat zijn zoon de zolder opgeruimd heeft en de onbruikbare rommel in de eerste schuur gegooid heeft. Als Nard hem vraagt of hij even mag kijken of hij er nog iets van kan gebruiken, knikt de boer. „Kijk maar of er iets van je gading bij is, maar veel zal het niet zijn," zegt-ie en gaat het huis in, zodat Nard en Hein ongestoord hun gang kunnen gaan. In de ogen van de boer is het echt waardeloze rommel en dus komt het niet eens in hem op er iets voor te vragen.

„Hier liggen wat schalen, pa," zegt Hein en dan is de nieuwsgierigheid van Nard gewekt. Hij herinnert zich de woorden van Ronald Duyvestee, de kunstschilder die gedurende de mooie maanden zijn intrek genomen heeft in hun oude daggeldershuisje. „Let niet alleen op antieke meubel-tjes, maar ook op porselein," zei hij en dat advies heeft Nard in zijn oren geknoopt. Als hij kijkt naar wat Hein aan-wijst, ziet hij wat schaaltjes en potten en dan draagt hij zijn zoon op ze voorzichtig in de kar te leggen. Enkele schaal-tjes zijn wat beschadigd, maar de grotere exemplaren zijn zo op het oog gaaf; ze zijn wel erg vuil. Ze laden ook nog een oud kastje op. De rest is echt onbruikbare rommel.

„Zat er nog wat bij?" vraagt de boer, als hij, voordat Nard en Hein wegrijden, nog even komt kijken, maar Nard schudt zijn hoofd.

„Niet veel, baas. Van het oude kastje kan ik misschien nog een konijnenhok maken en we hebben ook een paar schaal-tjes gevonden. Die komen goed van pas, want we hebben net een hond." Nard wil niet laten merken dat het porselein misschien toch iets waard zou kunnen zijn en de boer vraagt niet verder.

Thuis spoelen ze de schalen en schaaltjes af en dan komen er prachtige kleuren en motieven tevoorschijn. „Gooit die boer dat zomaar weg?" vraagt Mie verbaasd en Nard, die even verbaasd is als zijn vrouw, kan niet anders dan het beamen.

„Heb je er veel voor moeten betalen?" wil Mie nog weten, maar Nard schudt zijn hoofd.

„Helemaal niks!"

„Oh! Dan zal het wel niks waard zijn, want als boeren iets weggeven, dan weet je het wel."

„Ik weet helemaal niks, Mie, dus ga ik naar Ronald Duyvestee, want die heeft beloofd me te helpen als ik iets gevonden heb waarvan ik denk dat het wat waard zou kunnen zijn."

„Hoe kom jij in vredesnaam aan dat kostbare porselein, Nard?" vraagt de kunstschilder als Nard bij hem komt en hem de schalen toont.

„Is het echt kostbaar, Ronald?" Nard staat te trillen op zijn benen. Zou hij nu toch echt de schat van zijn leven gevonden hebben?

„Wis en waarachtig is dit kostbaar porselein, Nard, maar vertel me nou eerst eens hoe je eraan komt." Ronald Duyvestee is met stomheid geslagen, dat schillenboer Nard Buurma met een vermogen aan porselein voor zijn neus staat.

„Dat is gauw verteld, Ronald. Vanmiddag moest ik meel bij enkele boeren afleveren en bij een van die boeren hoorde ik dat er geen plaats was in de schuur waar ik altijd de zakken neerzet, omdat er rommel van een opgeruimde zolder in stond."

„En bij het woord 'rommel' spitste jij natuurlijk je oren," veronderstelt Ronald en Nard knikt.

„Ik heb destijds goed naar jou geluisterd en van de boer mocht ik meenemen wat ik kon gebruiken. Naast een oud kastje vonden mijn zoon en ik wat schaaltjes en schalen, maar die waren erg vuil en de kleine schaaltjes waren ook beschadigd."

„Mocht je ze zomaar meenemen? Boeren zijn over het algemeen niet zo vrijgevig."

„Ik vermoedde al dat de schaaltjes wat waard zouden kunnen zijn, maar dat heb ik natuurlijk niet gezegd."

„Nee, rommel is rommel, dat heb je goed onthouden," lacht

108

Ronald. Hij begint lol te krijgen in het verhaal van de schillenboer.

„Ik heb gezegd dat de schaaltjes goed van pas komen, omdat we net een hond hebben."

„Kakiemon-schalen voor een hond!" De kunstschilder en antiekkenner Ronald Duyvestee barst in onbedaarlijk lachen uit. „Zo'n goeie mop heb ik in tijden niet gehoord, Nard."

„Zijn die schalen echt wat waard, Ronald?" Nard denkt dat de kunstschilder hem een beetje voor de gek houdt, want in zijn ogen valt er eigenlijk niks te lachen.

„Man, dit is origineel Kakiemon uit de Edo-periode van omstreeks 1700. Hoe komt dat nou op een boerenzolder terecht? Hoe oud is die hoeve, Nard?"

„Als ik het me goed herinner staat er op een gevelsteen dat de eerste steen gelegd is in het jaar 1640."

„Dus in de Edo-periode stond die hoeve er al," concludeert Duyvestee. „Ik moet me wel sterk vergissen als die schalen geen vermogen waard zouden zijn, Nard."

„Een vermogen?" Nard kijkt de kunstschilder met grote ogen aan. „Maar hoe komen we er dan achter hoeveel de schalen waard zijn, Ronald?"

„Jij gaat toch elke dag naar de stad om schillen op te halen?"

„Ja."

„Dan rijd je morgen, met de schalen, door naar Oegstgeest en dan kijken we bij mij thuis in de boeken wat ze waard zijn. Je weet toch nog wel waar ik woon, hè?" Nard weet het en de volgende morgen is hij, met zijn 'schat', al vroeg in Oegstgeest. Hij heeft nauwelijks geslapen, want misschien is het porselein zóveel waard, dat zijn droom van een eigen bedrijfje werkelijkheid zou kunnen worden.

„Zo, jij laat er geen gras over groeien," lacht Ronald als Nard die ochtend bij het krieken van de dag bij hem voor de deur staat.

De schalen worden naar binnen gedragen en dan gaan ze

samen in de boeken de afbeeldingen opzoeken die overeenkomen met de motieven op de schalen en Ronald blijkt gelijk te hebben. Het is Kakiemon uit de Edo-periode en de schalen zijn heel veel geld waard. Nard kan het nauwelijks geloven als Ronald hem de bedragen noemt. Het duizelt hem.

„Wil je verkopen, Nard?" vraagt hij en natuurlijk wil Nard dat en desgevraagd wil hij ook graag dat Ronald het voor hem doet.

„Zonder jouw hulp zou ik niet weten aan wie ik de schalen zou moeten verkopen, Ronald, dus heb ik graag dat je me helpt."

„Dat wil ik doen, Nard, en ik wil er niks aan verdienen. De hele opbrengst is voor jou. Vertrouw je me?"

„Natuurlijk vertrouw ik je en dat niet alleen, Ronald; ik vind het erg fijn dat je me wilt helpen."

„Goed, Nard. Ik zoek een koper voor de schalen en als ik weet voor hoeveel geld ik ze kan verkopen, kom ik eerst bij jou langs om te vragen of jij ermee akkoord gaat."

„Ronald heeft alles in zijn boeken opgezocht en de schalen zijn duizenden guldens waard, Mie," zegt Nard als hij thuiskomt. „Ze heten 'kakkende non' of zoiets." Nog staat hij te trillen op zijn benen.

„Duizenden guldens?" Mie kijkt hem met een ongelovig gezicht aan. „Neemt die kunstschilder jou niet in de maling, Nard? Als die schalen zo'n zotte naam hebben, dan kunnen ze toch niet zoveel waard zijn."

„Nee, Ronald houdt mij niet voor de gek en misschien heten die schalen ook wel anders dan 'kakkende non'. Ik heb in mijn zenuwen waarschijnlijk niet goed genoeg geluisterd."

„En hoe gaat het nu verder?" Mie staat nog steeds heel sceptisch tegenover het verhaal van haar man.

„Als Ronald weet voor welk bedrag hij de schalen kan verkopen, komt hij eerst langs om te vragen of ik ermee akkoord ga."

En dat akkoord krijgt de kunstschilder als hij enkele dagen later met het bod van een antiquair uit Den Haag bij Nard en Mie voor de deur staat. Het bedrag waarvoor de schalen verkocht kunnen worden, is nog aanzienlijk hoger dan Ronald ingeschat heeft.

„Ik stel voor het geld te deponeren op een rekening bij de notaris hier in het dorp, zodat jij er zonder veel formaliteiten steeds over zult kunnen beschikken," stelt Ronald voor en Nard is het met hem eens, maar Mie heeft haar twijfels.

„Kunnen we het geld niet beter in ons kabinetje opbergen, Nard? Dan heb je het altijd bij de hand als je het nodig hebt."

„Het is mij om het even waar jullie het geld willen hebben, mensen," zegt Ronald, maar aan zijn gezicht ziet Nard dat hij het niet de beste oplossing vindt en desgevraagd bevestigt de kunstschilder dat ook. „Bij de notaris is je geld veilig, Nard. Hier heb je altijd het risico van diefstal of brand."

„Deponeer het maar bij de notaris," hakt Nard de knoop door en zo gebeurt het vervolgens ook. Maar Ronald heeft nog een dringend advies en dat is er met niemand, behalve enkele vertrouwelingen, over te praten.

„Als je grote uitgaven doet en mensen gaan vragen stellen, dan zeg je maar dat je een erfenis van een rijke oom uit Canada hebt gekregen."

„Maar dat gelooft toch niemand," meent Mie, maar Ronald zegt dat ze zich daar niets van moet aantrekken.

„Als die boer, waar je die schalen vandaan hebt, in de gaten krijgt dat er een vermogen aan zijn neus voorbijgegaan is, dan zijn de rapen echt gaar en gaat hij misschien moeilijk doen."

„We praten er met niemand over," besluit Nard en dat is een wijs besluit, vindt Ronald. Hij is ook blij iets te hebben kunnen doen voor deze eenvoudige, sympathieke mensen, die hij, zonder het te willen, destijds uit hun huis verjaagd heeft. Nu zouden ze de huur die hij boer Nederpeld betaalt, best kunnen missen, maar dat is niet meer aan de orde.

Als hij de schalen verkocht heeft en het geld wil deponeren bij notaris Geelkerk, heeft hij eerst een gesprek met die notaris. Ze kennen elkaar niet persoonlijk, maar na de ontmoeting wordt dat wel anders. Tijdens het gesprek blijken Roelof Geelkerk en Ronald Duyvestee nog verre familie van elkaar te zijn. Hoewel de notaris zelf niet schildert, delen ze samen de passie voor deze kunstvorm.

„Maar het doel van mijn komst is niet om over schilderkunst te praten," lacht Ronald als ze het er al een kwartier over hebben. „Een voordelige transactie heeft mijn vriend Nard Buurma uit De Tuit een flinke som geld opgeleverd en ik heb hem geadviseerd dat geld bij uw kantoor te deponeren, opdat hij er naar behoeven over zal kunnen beschikken."

„Een vriend van u uit De Tuit?" De notaris spreekt zijn gedachten niet uit, maar hij vindt het op z'n minst merkwaardig dat een gevierd kunstschilder als Ronald Duyvestee bevriend is met iemand uit De Tuit.

„Ja, Nard Buurma is schillenboer in De Tuit en het is niet alleen een aardige kerel, maar door de voordelige transactie die ik voor hem verricht heb, is het nog een vermogend man ook, althans in vergelijking tot zijn buurtgenoten. Mijn vraag aan u is hem uit te nodigen voor een gesprek om hem te adviseren bij zijn investeringen, want ik heb begrepen dat hij wil uitbreiden." De notaris belooft hem niet alleen dat te doen, maar gaat ook graag in op de uitnodiging van Ronald een bezoek te brengen aan zijn atelier in het daggeldershuisje van boer Nederpeld.

„Een brief van notaris Geelkerk," mompelt Mie als de postbode haar een envelop met die naam erop overhandigt. Ze is benieuwd wat erin staat, maar ze wil de envelop niet openen voordat Nard thuis is. Ze vermoedt dat het te maken heeft met de verkoop van de schalen door Ronald Duyvestee.

„De notaris vraagt mij langs te komen voor een gesprek,"

zegt Nard als hij de brief gelezen heeft en ook hij komt tot de conclusie dat het over de opbrengst van de verkoop van de schalen zal gaan. En enkele dagen later blijkt dat inderdaad te kloppen. Het geld is overgemaakt en, zoals Ronald gevraagd heeft, biedt de notaris Nard aan hem tegen een redelijke vergoeding te adviseren bij zijn investeringen.

„Hebt u al bepaalde plannen, meneer Buurma?" vraagt hij en Nard knikt.

„Ik heb een schillenwijk en ik koop af en toe oude spulletjes op om die, na een opknapbeurt, te verkopen. Paard en wagen huur ik van mijn vriend Lou Otten. Nu ik over wat meer geld kan beschikken zou ik de droom die ik al jaren heb, eindelijk kunnen verwezenlijken door een eigen bedrijfje op te zetten."

„Wat voor een soort bedrijf zou u willen opzetten, meneer Buurma?"

„Ik denk aan een kleine boerderij."

„Wilt u iets overnemen of bouwen?"

„Mijn vrouw, mijn zoon en ik wonen al geruime tijd in De Tuit en, ondanks de bestaande vooroordelen die wij trouwens zelf ook ooit hadden, bevalt het ons daar prima. Het huurhuisje waarin wij nu wonen, zou ik willen kopen en verbouwen. Erachter zou ik dan een kleine stal en een grote schuur willen bouwen. Ten slotte wil ik uiteraard wat vee kopen en een stuk grasland huren."

„Zo te horen zijn uw plannen al duidelijk omlijnd," stelt de notaris vast en Nard knikt.

„Niet voor niets heb ik er, zoals ik al zei, jaren van gedroomd, notaris, maar nu ik me het een en ander zal kunnen permitteren, krijgen mijn bestaande plannen ineens vaste vorm."

„Ik zal u graag met raad en daad terzijde staan, meneer Buurma. U komt maar als u me nodig hebt. En, wat ik nog wilde zeggen, ik heb kennisgemaakt met uw vriend de kunstschilder Ronald Duyvestee, die de opbrengst van uw transactie bij mijn kantoor gedeponeerd heeft, en die kennismaking is ons beiden goed bevallen. Binnenkort breng ik een bezoek aan zijn atelier, dat u ongetwijfeld bekend zal zijn."

„Sterker nog, notaris, ik heb er jaren gewoond." En dan vertelt Nard in het kort hoe hij de kunstschilder heeft leren kennen en waarderen. Ze nemen hartelijk afscheid en Nard is blij dat hij er bij de uitvoering van zijn plannen niet meer alleen voor staat.

HOOFDSTUK 6

De bouwactiviteiten in en rondom het huis van de familie Buurma in De Tuit zijn in het dorp aan de Wijde Laak niet onopgemerkt gebleven. Eerst werd het huis gerenoveerd en daarna werd er een stal achter gebouwd. Ten slotte verrees er nog een grote houten schuur en wat varkenshokken. De mensen vroegen Nard of hij een prijs in de loterij gewonnen had en Nard beaamde het. Als iemand vroeg of de een of andere rijke oom hem een erfenis nagelaten had, bevestigde hij dat ook. Niemand kwam erachter waar al het geld werkelijk vandaan kwam, behalve de Toeter, want zij wist van de hoed en de rand.

„Je weet toch met wie Nard en zaain zoon Haain omgaan?" vroeg ze en natuurlijk wisten de mensen dat. „Nou dan! Dan weet je ok dat die Kraai van leugens en bedrog an mekaar hangt en wie met pek omgaat wordt ermee besmet."

„Denk je aan diefstal, Jans?" vroegen de mensen en Jans knikte.

„As je in De Tuit woont ken je met werke nooit genog verdiene om een boerebedraaif op te bouwe. Nard had nooit 'n nagel om z'n kont te krabbe en nou bulkt-ie van de cente. Vind jaai 't normaal?" Jans Faber keek de mensen die naar haar luisterden uitdagend aan, maar, hoewel de mensen haar verhalen met een korreltje zout namen, durfde toch niemand haar tegen te spreken. En zo bleef de mythe rondom de plotselinge welstand van de familie Buurma bestaan. In werkelijkheid viel de rijkdom van Nard en Mie Buurma wel mee, want de verbouwing en nieuwbouw, alsmede de aanschaf van vee en de huur van grasland hebben een flink deel van hun verworven kapitaaltje opgeslokt. Ze kunnen zich goed redden, maar een vetpot is het niet. Wat tegenvallers, zoals ziekte onder het vee en de hoge prijs van het voer, hebben hun spaarpot nog verder aangetast. Welkom zijn de schillen die Hein elke dag ophaalt, maar de beesten hebben ook ander voer nodig. Hein brengt ook erg weinig geld in, want de wagen en de hit moeten nog steeds van Lou gehuurd worden en Lou krijgt ook nog steeds een kwart van de opbrengst van de schillen. Als Nard zijn zoon polst of hij niet liever een boer zoekt, heeft Hein daar eigenlijk wel oren naar. Niet alleen de geringe verdiensten zitten hem dwars, maar als schillenboer staat hij bij zijn kameraden en de meisjes van het dorp niet erg hoog aangeschreven. En Hein komt zo langzamerhand op een leeftijd waarop hij meisjes met andere ogen bekijkt dan enkele jaren geleden. En er is nog iets. Bij Lou Otten lopen de verdiensten ook terug: de veldwachter heeft kennelijk nieuwe instructies gekregen, want hij zit hem hoe langer hoe feller op de huid en dus moet hij voorzichtiger zijn dan voorheen. Hij heeft al eens laten doorschemeren dat-ie zelf wel met de schillenwagen op pad zou willen gaan. Nard weet daar ook van en als hij hoort dat de knecht van Goof Kaspers weggaat begint hij er met Hein over.

„Henk de Vreugd gaat weg bij Goof Kaspers, Hein. Zou jij niet eens naar Goof gaan om je aan te bieden?" vraagt-ie op een avond en Hein is meteen geïnteresseerd.

„Is dat niet de man die destijds de plaats ingenomen heeft van die gestorven knecht, Nard?" vraagt Mie en Nard knikt.

„Dat klopt, Mie. Als ik destijds jouw zin gedaan had, was ik daar misschien knecht geworden, maar het is wat anders gelopen."

„Ja, zeg dat wel." De ellende van de strenge winter van '90 hadden ze wellicht niet gehad als Nard voordien naar Goof gegaan was, bedenkt ze, maar ze spreekt haar gedachten niet uit.

„Weet jij waarom die Henk de Vreugd bij Goof Kaspers weggaat, pa?" vraagt Hein, maar Nard weet het niet.

„Misschien hoor je het wel als je je daar gaat aanbieden."

„Ik ga morgen meteen naar Kaspers toe," besluit Hein.

„Kan je melken?" vraagt Goof Kaspers als Hein hem de volgende morgen zijn diensten aanbiedt.

„Ja, ik melk bijna dagelijks, want we hebben thuis ook een paar koeien."

„Oh ja, natuurlijk. Jij bent er een van Nard en Mie Buurma uit De Tuit. Jullie zijn nogal dik bevriend met de Kraai, hè?"

„Lou Otten helpt ons al jaren en wij kunnen het best met hem vinden."

„Ja ja, de Kraai helpt jullie, maar dan moeten jullie zijn spelletjes natuurlijk wel meespelen, als je begrijpt wat ik bedoel."

„Nee, dat begrijp ik niet."

„Vraag het dan Jans Faber maar eens. Nee jongen, jou kan ik niet gebruiken. Probeer het maar bij een ander." En daar kan Hein het mee doen. Wat Jans Faber wel weet en hij niet is Hein een raadsel, maar thuis weten ze dat wel.

„Ik wist niet dat iemand dat kletsverhaal van de Toeter serieus genomen heeft," reageert Nard kwaad als Hein thuis over zijn ervaringen met Goof Kaspers vertelt.

„Welk verhaal?" vragen Mie en Hein allebei tegelijk.

„Och, ik heb dat 'n paar jaar geleden eens opgevangen, maar ik heb er nooit met jullie over willen praten."

„Maar waar ging het dan over?" wil Mie nu toch weten.

„Dat mens is te zot om los te lopen, Mie. Je herinnert je dat iedereen zat te gissen hoe wij aan het geld voor ons bedrijfje kwamen en toen schijnt Jans Faber rondgebazuind te hebben dat wij er, door onze omgang met Lou, niet eerlijk aangekomen zijn."

„De heks!" sist Mie nu ook woedend.

„Dat mens is gek, maar die boer moest toch wijzer wezen," vindt Nard. Hij is woest.

„Dat zal ik hem morgen eens inpeperen," zegt Hein, maar Mie maant hem tot kalmte. Zij heeft een ingeboren angst en ontzag voor rijke boeren.

„Je moet niet brutaal zijn tegen rijke boeren, jongen," waarschuwt ze, maar Nard haalt zijn schouders op.

„Laat die hufter maar stikken. Een stuk brood kan je overal

verdienen als je je best maar doet," is zijn mening.

„Toch vind ik dat jij je maar wat minder met Lou moet bemoeien, Hein," reageert Mie, maar daar wordt zowel Nard als Hein erg boos om.

„Hoe kun je dat nou zeggen, Mie? Lou, die ons altijd door dik en dun gesteund heeft, laten vallen? Nooit van mijn leven," zegt Nard en Hein valt hem bij.

„Nee moe, nou sla je de plank toch flink mis; ik eet nog liever droog brood dan met Lou te breken, maar niet alle boeren zullen zo dom zijn als Goof Kaspers." Dat laatste zal Hein al spoedig ervaren.

Als hij enkele dagen later schillen aflevert bij De Rietkant, de hoeve van Dirk en Agaat Ploeger, hoort-ie dat Dirk om een knecht verlegen zit, want met zijn oude knecht, Rinus Taal redt hij het niet meer. De man is over de zeventig en is zo krom als een hoepel.

„En als ik nou eens knecht bij jou zou willen worden, Dirk?" gooit Hein een visje bij de boer uit en Dirk Ploeger hapt meteen.

„Meen je dat, Hein? Jij hebt toch je schillenwijk!"

„Ja, dat wel, maar dat levert niet genoeg meer op en bovendien wil Lou Otten het wel van me overnemen. De hit en de kar zijn tenslotte van hem." Hein noemt maar meteen de naam van zijn vriend en die naam roept bij Dirk kennelijk geen enkele weerstand op, want hij reageert er niet op.

„Als wij het over de verdiensten eens kunnen worden, kun je hier voor mijn part aan de slag, Hein."

„En wat doe je met Rinus Taal, Dirk?" Hein wil de baan wel, maar hij heeft er toch wat moeite mee de oude knecht van zijn plaats te verdringen. Hij zegt het ook.

„Maak je over Rinus maar geen zorgen, Hein. Jij bent niet getrouwd, dus jij maakt geen gebruik van ons daggeldershuisje, zodat Rinus er met zijn vrouw voorlopig in kan blijven wonen. Misschien kan hij nog wat verdienen door hier lichte klusjes te doen."

Eerst is Hein al aangenaam verrast doordat Dirk met geen

woord rept over zijn omgang met Lou en vervolgens toont hij zich een kerel met een hart door zorgvuldig om te gaan met zijn oude knecht. De boerenstand is weer wat in zijn achting gestegen.

„Je bent vóór de winter onder de pannen, jongen, en je hebt nog een goede boer getroffen ook," zegt Mie met een tevreden gezicht als Hein met de boodschap thuiskomt dat hij bij Dirk Ploeger op De Rietkant gaat werken.

Lou Otten heeft een wat omgekeerde reactie. Hij wil de schillenwijk van Hein wel overnemen, maar was er liever in het voorjaar mee begonnen. „Nou moet ik kou en regen trotseren terwijl jij lekker in de warme stal zit," pruilt-ie.

„Maar in de winter raak je bij de boeren je schillen makkelijker kwijt, Lou en dat is ook wat waard," brengt Hein ertegen in. Ze worden het niet eens, maar ze blijven dikke vrienden.

Het is voor Hein wel een hele overgang zijn dagelijkse ritten op de schillenkar te moeten verruilen voor het eentonige boerenwerk. Bovendien mist hij Robbie, zijn schapendoes, en dat hij, zoals Lou zegt, lekker in de warme stal zit, is ook maar gedeeltelijk waar. 's Morgens en 's avonds melken doet-ie in de stal, maar overdag staat hij eenzaam in weer en wind te sloten in de polder. Als de kanten van de sloten met de graaf recht afgestoken zijn en de grote brokken in de gaten die door de koeien in de slootkanten getrapt werden, gedeponeerd zijn, moet er nog gebaggerd worden. In zijn klomplaarzen en gewapend met de baggerbeugel staat hij dagenlang in de schouw de sloten uit te baggeren. Hier en daar heeft hij op de kant een aarden walletje opgeworpen en daarin mikt hij met de boezelschep de bagger als de schouw vol is.

Tegen etenstijd gaat hij terug naar de hoeve en moet dan eerst de verhalen aanhoren van de twee dochtertjes van Dirk en Agaat Ploeger. Ria is acht en Greetje vijf en ze hebben allang ontdekt dat Hein, in tegenstelling tot hun vader, wel naar hun belevenissen wil luisteren. En kinderen van vijf en acht beleven ontzettend veel. In hun enthousiasme struikelen ze over hun eigen woorden en vallen elkaar in de rede, maar dan doet Hein net of hij boos wordt en balt zijn vuist. Maar aan zijn lachende gezicht zien de meiden wel dat hij er niks van meent en om zich te wreken springen ze hem boven op zijn nek. Hij moet dan om genade smeken om van zijn plaaggeesten verlost te worden. Ze hebben de grootste pret tot moeder Agaat ze tot de orde roept, want ze moeten aan tafel komen.

„Wat een druktemakers toch, hè Hein?" zucht ze.

„Geen probleem, hoor!" reageert Hein. „Ze zijn jong en gezond, dus willen ze graag spelen."

„Ja, gelukkig zijn ze goed gezond, Hein, en dat kan niet iedereen zeggen. Mijn broer heeft een gezonde zoon, maar zijn dochter is een zorgenkind."

„Ken ik je broer?" vraagt Hein. De boeren van het dorp zijn in veel gevallen familie van elkaar, maar hij kent niet alle verhoudingen.

„Ja natuurlijk ken je hem en zijn kinderen ook. Het is Teun van Meurs van de Wilgenhoeve."

„Natuurlijk ken ik die, maar ik wist niet dat jij van je meisjesnaam Van Meurs heet. Leen studeert voor priester en Mientje helpt haar moeder thuis."

„Dat klopt. Over Leen maken mijn broer en schoonzuster zich geen zorgen, maar met Mientje ligt dat anders. Malle Mientje noemen de mensen mijn nichtje in het dorp en dat vinden haar ouders en Leen verschrikkelijk. Ik trouwens ook. Mientje is een lief meisje en zij kan er toch ook niks aan doen dat ze wat afwijkend is van de anderen."

„Leen ken ik goed, want met hem heb ik mijn hele schooltijd in dezelfde klassen gezeten, maar met Mientje heb ik nooit veel te maken gehad."

„Dat wordt dan wel anders, Hein, want Mientje is gek op mijn twee meiden en af en toe haal ik haar een weekje hierheen en dat vindt ze heerlijk."

„Je bent wel gek op je nichtje zo te horen," stelt Hein vast en de boerin knikt. Maar dan klapt ze in haar handen om haar dochters op te trommelen, want die zijn inmiddels alweer verdwenen.

Het eten is lekker en overvloedig en erna krijgt Hein de gelegenheid een middagdutje te doen. Hij heeft het op De Rietkant goed naar zijn zin, maar minstens twee keer in de week gaat hij 's avonds een uurtje naar huis en af en toe gaat hij ook nog even langs bij Lou. Maar Lou zit een beetje in de put, want hij mist zijn strooptochten en haat het leven van schillenboer. Daar komt nog bij dat hij ook de gezelligheid van de regelmatige contacten met hem en Nard wat mist.

„Je moet een vrouw zoeken, Lou," adviseert Hein hem, maar Lou schudt zijn hoofd.

„Er is geen vrouw die het bij mij uithoudt, want ik ben veel te ongedurig."

„Dan weet ik het ook niet meer, Lou." Hein neemt afscheid, maar hij doet dat met een naar gevoel. Pa heeft gezelligheid aan moe en ook nog aan Robbie. Hijzelf heeft de gezelligheid van het levendige gezinnetje van Dirk en Agaat Ploeger, maar Lou zit maar in zijn eentje te kniezen. Gelukkig heeft hij na de dood van zijn oude hond Caro weer gezelschap van een nieuwe herder. Toch besluit hij wat vaker langs te gaan.

Het werk op De Rietkant ligt nagenoeg stil, want er is een flink pak sneeuw gevallen en er staat bovendien een harde wind, zodat de sneeuw opwaait en hier en daar hoge wallen vormt. De sneeuw is droog en het is nogal koud, maar dat verandert al na een paar dagen. Dan gaat de temperatuur omhoog en plakt de sneeuw. Als Hein het pad naast de hoeve sneeuwvrij gemaakt heeft en met een kruiwagen vol mest naar de mesthoop loopt, krijgt hij een sneeuwbal in zijn nek. Hij keert zich om en dan staat Ria van acht te gieren van het lachen.

„Hoe durf jij me met sneeuwballen te bekogelen," roept hij quasinijdig. „Dat zal ik jou weleens afleren, meissie!" Hij pakt haar in de kladden en draagt haar naar een hoge sneeuwhoop. Ria spartelt gillend tegen, maar in de sterke handen van Hein heeft ze geen kans los te komen. Als hij haar vervolgens in de hoge sneeuwhoop gooit, zakt ze er helemaal in weg en dan haalt hij haar er maar gauw weer uit. Maar Ria wil verder spelen en samen met hem een sneeuwpop maken.

„Toe nou, Hein, dan zal ik Greetje ook roepen," dringt ze aan als de knecht zijn hoofd schudt.

„Eerst gaan we koffiedrinken en daarna zal ik wel zien," beslist hij en dan legt ze als een braaf meisje haar handje in zijn grote knuist en loopt met hem mee naar binnen.

„We gaan straks met Hein een sneeuwpop maken, moe," roept Ria zodra ze haar moeder ziet.

„Heeft Hein dat beloofd?"

„Ja, hè Hein?"

„Ik heb gezegd dat ik nog wel zal zien," corrigeert de knecht de kleine meid, maar dan klimt Ria op zijn knie en fluistert iets in zijn oor waar Hein om moet lachen.

„Dat zal je moeder dan toch eerst goed moeten vinden, meissie," reageert-ie en dan willen Agaat en ook Greetje weten wat Ria de knecht in zijn oor gefluisterd heeft.

„Dat-ie twee scheppen suiker in zijn koffie krijgt als hij met ons een sneeuwpop gaat maken en dat vind jij vast wel goed, hè moe?" Na haar suggestieve vraag kijkt Ria haar moeder zó verwachtingsvol aan, dat de boerin niet kan weigeren.

„En als pa meehelpt krijgt hij ook twee schepjes suiker, hè?" doet Greetje ook een duit in het zakje, maar vader Dirk schudt zijn hoofd. Hij heeft helemaal geen zin in dat kinderachtige spelletje en verzint maar dat-ie nog veel werk te doen heeft. Het is een doorzichtige smoes, want met dit weer valt het met de drukte op de hoeve wel mee.

Als Hein even later met de twee kinderen een mooie sneeuwpop maakt en de kinderen de grootste lol hebben als de pop een oude hoed op krijgt en een grote peen en twee kiezelstenen hem ook een gezicht geven, staat de boerin het tafereeltje glimlachend te bekijken van achter het raam. Het is voor haar een beetje pijnlijk te moeten constateren dat Hein zo langzamerhand nog meer voor de kinderen betekent dan hun eigen vader.

De sneeuwpret is van korte duur. De temperatuur blijft stijgen en na amper een week is er van de sneeuw niets meer te zien. Daarna zakt de temperatuur weer onder nul en omdat er een snijdende wind staat, voelt het erg koud aan. 's Nachts vriest het flink en binnen enkele dagen ligt er al een dikke laag ijs op de sloten en op het buitenwater. Door de harde wind liggen op het meer nog stukken open, maar als de wind gaat liggen en het stevig doorvriest kan er al gauw geschaatst worden. Op De Rietkant ligt het werk, op het melken na, zo goed als stil en dus krijgt Hein de gelegenheid de ijzers onder te binden en zich bij zijn kameraden op het ijs te voegen. Hij wil al proberen wat ritten te maken, maar de boer houdt dat tegen. Eerst moeten er nog wat voorzorgsmaatregelen genomen worden. Dirk Ploeger is voorzitter van de ijsclub en hij mobiliseert een ploeg jongemannen, waaronder Hein Buurma, om de wakken in het ijs op te sporen en af te zetten met rietpluimen of takken. Vooral het meer is nog verraderlijk. Doordat de wind is gaan liggen zijn de wakken met een dun laagje ijs bedekt en ziet het er betrouwbaar uit, maar schijn bedriegt.
Als Hein met een hakbijl en een sikkel, om plukken riet te snijden, op weg is naar het meer, ziet hij een opgewonden groepje schaatsers dichtbij de molen staan te gebaren. Vlug rijdt hij erheen en vraagt wat er aan de hand is.
„Lientje Polman is door het ijs gezakt," wordt er geroepen. „Ze is door het dunne laagje ijs van het wak gezakt en onder het dikke ijs geschoven. De molenaar is een ladder en een stuk touw gaan halen."
„Heeft iemand haar onder het ijs gezien?" vraagt Hein en dan wijzen kinderen hem de plek aan waar ze Lientje voor het laatst gezien hebben. Hein bedenkt zich geen moment

en wacht de molenaar met zijn touw en ladder niet af, maar laat zich door het gat in het water zakken en tast de omgeving af waar de kinderen Lientje voor het laatst gezien hebben. Dan krijgt hij het benauwd en moet terug naar het wak om lucht te happen, maar onmiddellijk gaat-ie weer terug en dan voelt hij plotseling het kind. Hij trekt haar mee naar boven en daar is de molenaar inmiddels met de ladder gearriveerd. Met vereende krachten worden het kind en vervolgens Hein op het ijs gesleept. Het kind is helemaal slap en even staat Hein besluiteloos met haar in zijn armen, maar dan roept een jong meisje hem en wijst op villa De Meerkoet, waar zij met haar ouders en broer woont.

„Kom mee!" roept ze en Hein volgt haar dan met het kind in zijn armen naar de villa van de rijke fabrieksdirecteur Johan van Beusekom.

„Wat is er gebeurd?" vraagt Gerard van Beusekom die zijn zus met de doornatte knul en het slappe kind van achter het raam heeft zien komen. Maar er is geen tijd om vragen te beantwoorden. Ze leggen het meisje op de vloer van de grote bijkeuken en dan ontfermt een vriend van Gerard, die toevallig op bezoek is, zich over Lientje. Hij studeert voor arts en weet hoe je met drenkelingen moet omgaan en tot opluchting van allen slaagt hij er na enige tijd in het meisje te laten bijkomen. Hein heeft intussen droge kleren van Gerard gekregen en bij het warme fornuis komt hij wat bij, want hij was tot op het bot verkleumd.

Terwijl de aankomend arts zich samen met mevrouw Van Beusekom verder bekommert om het meisje, maakt dochter Thea warme melk voor Hein. „Ik ben Thea van Beusekom en hoe heet jij?" vraagt ze.

„Mijn naam is Hein Buurma en ik was juist op weg om wakken af te zetten. Als ik wat eerder geweest was, had het ongeluk met Lientje niet hoeven te gebeuren," zegt hij met een spijtig gezicht, maar Thea vindt dat het meisje geboft heeft dat hij in de buurt was, want als hij later gekomen was, had het kind het misschien niet gered.

124

„Je noemt haar Lientje, dus weet jij wie het is," concludeert Thea en Hein knikt.

„Ze heet Lientje Polman en zij is het dochtertje van Jaap Polman, de café-eigenaar in het dorp." En even later staat diezelfde Jaap Polman doodongerust voor de deur van de villa, waar mevrouw Van Beusekom hem tot zijn onuitsprekelijke vreugde kan vertellen, dat zijn dochtertje het er levend van afgebracht heeft. „Dankzij het kordate optreden van deze jongeman," zegt zij als ze samen met de cafébaas in de bijkeuken komt. Het meisje is inmiddels bij kennis en herkent haar vader.

„Ik kan geen woorden vinden om jou te bedanken, Hein," zegt Jaap, de redder van zijn kind ontroerd de hand schuddend, maar Hein wimpelt de lof af en zegt dat de man 'meneer daar' moet bedanken, omdat hij het tenslotte is die de levensgeesten van Lientje weer opgewekt heeft.

De eerste dagen na het ongeluk is de heldendaad van Hein Buurma het gesprek van de dag. En Jans Faber, alias de Toeter, doet daar, deze keer in positieve zin, ijverig aan mee. 'Haai heb met gevaar voor aaige leve dat maaissie van Jaap Polman onder 't aais vandaan gehaald. Haain is voor maain een held en dat zal jaai ok wel met me eens zaain' zegt ze tegen eenieder die het maar horen wil.

Hein wordt wat verlegen onder alle lof en hij moet lachen als Jaap Polman hem een maand gratis drinken aanbiedt. Het is een leuk gebaar van de cafébaas, maar hij zal er slechts een bescheiden gebruik van maken, want hij is een matig drinker.

De vorst houdt intussen aan en op een middag, enkele dagen later, ontmoet Hein Thea, de zestienjarige dochter van Johan van Beusekom, weer op het ijs. „Hallo, Hein!" roept ze enthousiast. „Leuk je weer te zien; je hebt zo te zien van de koude duik geen nadelige gevolgen ondervonden," constateert ze, de moedige redder bewonderend aankijkend. Maar haar bewonderende blik heeft niet alleen te maken met de moedige daad van Hein, maar ook en vooral met zijn verschijning. Nu ze hem met een gezonde kleur op zijn knappe gezicht terugziet, raakt ze zelfs een beetje opgewonden. Een stoere en knappe jongen is Hein en daar gaat haar jonge hartje sneller van slaan.

„Nee hoor! Ik ben nog steeds kerngezond, juffrouw," lacht Hein. In de consternatie van het ongeluk is het hem de eerste keer dat hij haar zag, niet zo opgevallen, maar nu ziet hij een lieftallig en mooi gezichtje in de omlijsting van haar bontmuts. Met haar laarsjes en getailleerde jasje ziet ze er uit als een kleine fee.

„Doe niet zo mal, joh, met je 'juffrouw'; je weet toch dat ik Thea heet," kirt ze met een hoog stemmetje en weer kijkt ze hem zó lief aan. Hein moet even slikken, want de aanblik van het deftige mooie meisje brengt hem wat van zijn stuk. Ze ziet er zo anders uit dan de meisjes van het dorp met hun rechte jakken, zwarte kousen en witgesausde klompen. Maar dan herstelt hij zich en verontschuldigt zich ervoor haar 'juffrouw' genoemd te hebben.

„Ik zal het goedmaken, maar dan moet je even met me meerijden naar de koek-en-zopiekraam. Je lust toch wel een beker warme chocolademelk?"

„Als ik die van jou krijg, zal-ie me dubbel zo lekker smaken," lacht ze haar mooie witte tanden bloot. En met diezelfde tanden hapt ze even later in een koek die Hein, samen met de chocola, besteld heeft. De dorpelingen kijken wat vreemd op als ze Hein Buurma samen zien met het dochtertje van de rijke industrieel die in de kapitale villa aan het meer woont. Maar Hein en Thea hebben de kritische blikken nauwelijks in de gaten, want zij hebben slechts oog voor elkaar. „Schaats je nog een eindje met me mee, Hein?" vraagt Thea als ze haar chocolademelk en de koek opheeft en Hein knikt. Hij doet het maar al te graag, want hij is helemaal in de ban van het mooie meisje. En dan lijkt het wel of ze de menigte willen ontvluchten, want ze rijden door tot ze door brede rietkragen aan het oog onttrokken worden.

Plotseling remt Thea af en ploft op een hoge graskant. „Je maakt je mooie jasje helemaal vuil," schrikt Hein en vlug plukt hij een bos rietstengels en spreidt die voor haar uit op de, niet zo schone, graskant.

„Wat ben jij galant, Hein!" kirt ze met haar hoge stemmetje en weer ontmoeten hun ogen elkaar. „En je bent niet alleen galant, maar nog knap ook," voegt ze eraan toe. Dan komt er een dromerige blik in haar ogen, want met haar zestien jaren heeft Thea van Beusekom vaak romantische gedachten. In Hein ziet zij de stoere galante ridder die niet alleen een kind uit een wak gered heeft, maar ook haar met liefdevolle zorg omringt. „Bedankt hoor!" zegt ze nog en dan drukt ze een vluchtig kusje op zijn wang en giechelt dat hij dat kusje wel verdiend heeft. „Morgenmiddag om halftwee zit ik hier weer; kom jij dan ook?" En dan kan Hein niet anders doen dan het haar te beloven. Hij wil het natuurlijk ook graag, maar hij is er niet zeker van dat Dirk Ploeger hem weer laat gaan. Erg veel werk is er met deze vorst op de hoeve niet, maar twee dagen achtereen gaan schaatsen is toch misschien wat veel van het goede in de ogen van de boer.

Hein Buurma is jong en sterk en hij hoeft 's avonds zijn bed maar te zien of hij slaapt al bijna, maar op de dag dat hij Thea van Beusekom ontmoet heeft, is dat anders. Nog ziet hij de zachte, ja bijna verliefde, blik in haar mooie ogen en hij heeft de wang waarop zij een kusje gedrukt heeft, niet gewassen. Het lijkt wel of hij de druk van haar zachte lippen nog voelt. Eigenlijk is hij wel wat trots op zichzelf. Hij, die tot voor kort schillenboer was in De Tuit, wordt gekust door het mooie en deftige dochtertje van de rijke industrieel Van Beusekom. Natuurlijk moet hij morgen zijn afspraak met Thea nakomen en dan moet hij zijn blokschaatsen aandoen om met haar te gaan zwieren. Dan kan hij haar in zijn armen houden. Met een glimlach om zijn mond valt hij eindelijk in slaap.

„Mag ik vanmiddag weer gaan schaatsen, Dirk?" vraagt Hein de volgende dag aan de boer en hij schrikt als deze bezwaar maakt.

„Je bent gisteren al de hele middag weggeweest en er moet nodig mest naar de baggerstaal gereden worden."

„Dat kan ik toch ook later op de dag doen, Dirk," meent Hein en terwijl hij het zegt realiseert hij zich dat het een onzinnige uitspraak is. Hij begint ook te hakkelen en de boer kijkt hem met een meewarige blik aan.

„Ben jij van plan in het donker mest te gaan rijden?" vraagt hij dan ook en op die vraag kan Hein niet zo gauw een antwoord verzinnen.

„Je hebt zeker een afspraakje, Hein," raadt de boerin en dan knikt Hein een beetje beschaamd. Hij voelt zich betrapt en kijkt de boerin met een ongelukkige blik aan. Ja, hij voelt zich ongelukkig, want als hij er op de afgesproken tijd niet is, zal Thea denken dat hij geen zin heeft en het tegendeel is waar.

„Kan dat mestrijden nog een dagje uitgesteld worden, Dirk?" vraagt de boerin haar man. Ze heeft de ongelukkige blik in de ogen van de knecht gezien en ze wil hem graag helpen, want een jonge vent die een afspraakje heeft met een meisje, kun je toch niet vasthouden voor een paar vrachten mest.

„Nou, voor mijn part," reageert de boer een beetje nukkig. Afspraken met meisjes maak je 's avonds of op zondag, maar niet midden op de dag en midden in de week, vindt-ie. Hein merkt aan zijn baas dat het niet van harte gaat, maar hij kan zijn afspraak nakomen en dat is het allerbelangrijkste.

„Jij bent een man van de klok," lacht Thea als Hein op de afgesproken tijd op de afgesproken plek arriveert. „Wat gaan we doen, Hein?"

„We gaan naar de vaart voor de kerk en dan gaan we zwieren."

„Oh leuk! Maar jij moet me wel goed vasthouden, want ik kan nog niet zo goed zwieren, hoor!"

„Ik zal je niet laten vallen," belooft Hein en hij belooft het graag, want de mooie Thea in zijn armen houden heeft hij nog slechts in zijn droom meegemaakt.

Keken enkele dorpelingen gisteren al vreemd op toen zij Hein met de dochter van Van Beusekom op het ijs zagen, nu zijn er veel meer mensen op het ijs, zodat ze ook nog meer bekijks hebben. „Haain heb an z'n natte pak dat môje maaissie van die raaike dirrekteur overgehouwe," weet de Toeter. Jans schaatst zelf niet, maar waar veel mensen zijn wil zij niet ontbreken. Dus heeft ze zich warm aangekleed en stro in haar klompen gedaan om ook haar voeten warm te houden. En het is niet alleen Jans Faber die commentaar heeft, ook de kameraden van Hein schudden hun hoofd en vragen zich af wat hij met dat deftige meisje van plan is. De dorps meisjes vinden het maar niks dat hij met dat rijke nufje zwiert, want Hein is een knappe knul en ze willen allemaal wel een rondje met hem draaien en nog eens napraten over zijn moedige redding. Een van die meisjes is Antje Bennink, die even oud is als Hein. Ze is blond en knap en ze heeft over belangstelling van de jongens niet te klagen, maar ze heeft haar zinnen op Hein Buurma gezet.

Hein ziet wel de verbaasde blikken van de dorpelingen, maar hij moet zich zó op Thea concentreren dat hij er geen aandacht aan schenkt. Hij ziet dan ook niet dat de meisjes zich een beetje ergeren aan Thea, die zich in hun ogen erg aanstellerig gedraagt. Ze zien dat ze wel kan zwieren, maar af en toe met opzet dreigt te struikelen, zodat Hein haar stevig in zijn armen moet klemmen om haar voor vallen te behoeden. En dan drukt ze zich lachend tegen hem aan en slaat ze haar armen om hem heen. Na een poosje trekt ze hem mee en zijn ze al vlug uit het zicht verdwenen. En daar is het Thea om te doen, want ze wil wel weer even met haar 'verovering' alleen zijn. Ze rijden weer naar hun ontmoetingsplek en blazen daar even uit. Thea babbelt er lustig op los en vertelt van haar belevenissen op kostschool en Hein vindt het dan jammer te horen dat ze binnenkort naar een internationale school in Zwitserland vertrekt. „Dan zien we elkaar dus niet meer," concludeert hij, maar als hij zelf vertelt over het bedrijfje van zijn vader en over zijn eigen konijnen, een geitje en zijn hond Robbie, belooft Thea een keer op zondagochtend bij hem thuis langs te komen.

„Dat doe ik dan voordat ik naar Zwitserland vertrek," belooft ze. „Maar ga jij dan nu even mee om bij mij thuis een kopje thee te drinken, want mijn moeder zal ook wel willen weten hoe het nu met jou gaat."

„Vindt je moeder het echt wel goed dat ik met je meega?" vraagt-ie schouderophalend. Maar Thea knikt ijverig.

„Natuurlijk vindt ze het goed. Ze heeft, net als ik, grote bewondering voor jou, hoor!"

„Zo, daar hebben we de redder zelf," verwelkomt mevrouw Van Beusekom Hein als hij met Thea bij De Meerkoet arriveert. „Met jou erbij durf ik mijn dochter wel het ijs op te laten gaan," lacht ze en dan roemt Thea Hein om zijn zwierkunst.

„Ik ging een paar keer bijna onderuit, maar Hein ving me keurig op," zegt ze enthousiast. „Het is toch wel goed dat wij een kopje thee komen drinken, mama?"

„Natuurlijk kindje, ik zal Cora vragen een potje thee te zetten." En als Cora even later met het gevraagde binnenkomt, worden er ook koekjes en chocola bij geserveerd. Het wordt een plezierig uurtje en Hein moet veel vragen over hemzelf en het dorp beantwoorden, maar als hij op de klok kijkt schrikt hij zich een ongeluk. Het is allang melkenstijd en dus bedankt hij mevrouw en neemt haastig afscheid van Thea. Hij moet zich op zijn ongemakkelijke blokschaatsen in het zweet rijden om de verloren tijd nog een beetje in te halen. En natuurlijk krijgt hij van de boer op zijn kop en wordt hem te verstaan gegeven dat hij de ijspret de komende dagen wel kan vergeten.

De vorst houdt aan, maar pas op zondag krijgt Hein weer de gelegenheid de schaatsen onder te binden. Thea ontmoet hij niet meer op het ijs, maar wel zijn kameraden Wim Pompe en Koos Mulder. Ze willen alles weten over dat mooie grietje waarmee hij deze week aan het zwieren was en als hij vertelt dat hij bij haar thuis in de villa aan het meer gezellig theegedronken heeft, geloven ze hem niet. Maar toch waarschuwen ze hem zich nog niet door het vrouwelijk schoon te laten strikken. Dat er een ondertoon van jaloezie in de waarschuwing zit proberen ze te verdoezelen, zeker als Hein vertelt dat ze 'zo lief kan zoenen'. Dat dat beperkt is gebleven tot een bescheiden kusje op zijn wang, vertelt hij er niet bij.

Maar dan wordt hun aandacht getrokken door bakkerszoon Geert Noordam. Hij duwt een grote slee met een rieten mand erop en is kennelijk op weg naar de koek-en-zopie-kraam bij de molen.

De bakker heeft de kraam verplaatst naar de molen omdat die op een kruispunt van vaarten staat en er op zondag nogal wat schaatsers uit de stad een toer maken en de molen passeren.

„Hé Geert, even uit het meel gekropen?" roept Koos Mulder en meteen laat hij zich languit op het ijs vallen, zodat Geert de slee moet inhouden. „Wat heb jij allemaal voor lekkers in die mand, Geert?" vraagt hij.

„Daar is niks voor jou bij, jongetje. Als je wat wilt hebben wacht je maar tot ik bij de kraam ben en dan kun je zoveel kopen als je wilt."

„Maar ik wil helemaal niet kopen," protesteert Koos en meteen begint hij de slee terug te duwen in de richting waar de bakkerszoon net vandaan komt. „Voor één krentenbol ben je van me af, Geert."

„Nou, vooruit dan maar," besluit de bakkerszoon ten slotte, maar hij komt natuurlijk niet weg zonder ook de andere twee een krentenbol gegeven te hebben.

Als dank hiervoor mag Geert op de mand gaan zitten en

duwen de jongens hem in vliegende vaart naar de kraam. Maar dan haakt Hein plotseling af. Ze passeren een groep meisjes en een van hen is Antje Bennink. Hein breekt gauw de helft van zijn krentenbol af en roept „mond open, Antje," waarna hij die helft tussen haar blinkend witte tanden in haar lachende mond stopt. Het valt hem op dat zij er met haar felkleurige muts en haar rode wangen lief en fris uit-ziet. Ze lacht hem ook zo lief toe en bedankt hem voor de traktatie. „Geen dank, hoor!" zegt Hein en hij voegt zich weer vlug bij zijn vrienden, die van mening zijn dat hij zijn geliefde Thea al wel snel ontrouw wordt. Hein moet erom lachen, maar toch zet het hem aan het denken. Waarom stopte hij nou in een opwelling die lekkernij uitgerekend in de mond van Antje? Is hij bang dat hij haar voor het hoofd gestoten heeft door zo openlijk met Thea te flirten? Misschien wel, want Antje heeft altijd al een warm plekje in zijn hart gehad. En daarin staat hij niet alleen, want Antje is een van de knapste meisjes van het dorp en de meeste jon-gens van zijn leeftijd hebben een oogje op haar, maar Antje is nogal kieskeurig. Of hij een kans bij haar maakt, weet hij niet. Hij betwijfelt het, want als schillenboer uit De Tuit stond hij nooit in hoog aanzien bij de meisjes. Thea maakt daar kennelijk geen probleem van, want zij heeft zelfs beloofd hem op een zondag in De Tuit te komen bezoeken. „Laat die meiden met rust en ga mee een borrel bij Jaap halen," stelt Koos voor en dat vinden Wim en Hein wel een goed voorstel, maar of ze een borrel zullen nemen weten ze nog zo net niet.

„Zo, jij komt je gratis borrel zeker halen," veronderstelt de baas van De Uitspanning. Hij gunt het de redder van zijn dochtertje van harte. „Of heb je liever een kop snert?" vraagt-ie.

„Daar zeg ik geen 'nee' tegen, Jaap," reageert Hein. „Dan trakteer ik je kameraden ook maar een keertje, want jij maakt van mijn aanbod nauwelijks gebruik, heb ik gemerkt."

„Och, ik ben geen grote drinker, Jaap," moet Hein toegeven, maar het gebaar van de cafébaas stelt hij wel op prijs en zijn vrienden ook. Alleen wil Koos flink doen en houdt het toch maar bij een brandewijntje.

„Jij kan pas lekkere snert koken, Aagt," prijst Hein de gezette hulp van de cafébaas.

„En jij bent verstandiger dan je kameraad, Hein. Van snert blijf je gezond, jongen," reageert Aagt, maar Jaap Polman, die zojuist het glas van Koos gevuld heeft, moet zijn hulp tot de orde roepen.

„Zeg Aagt, voor die paar dagen per jaar waarop ik snert verkoop, hoef jij mijn brandewijn niet af te kammen, hoor!"

„Ik kam niks af, maar wat meer snert en wat minder brandewijn zou voor jou ook niet zo slecht zijn," zegt Aagt, die haar gelijk wil halen en Jaap geeft haar dan maar een tik op haar dikke achterwerk en stuurt haar terug naar de keuken.

„En jij kan de snert beter laten staan," zegt Jaap, die toch het laatste woord wil hebben.

„Vind jij dat ook, Koos?" vraagt Wim lachend als hij de grimassen op het gezicht van zijn vriend ziet.

„Dit is best spul," jokt Koos met een jaloerse blik op de dampende snert die zijn maats naar binnen werken. Hij had er zelf ook graag voor gekozen, maar dat zou hij nooit toegeven.

Na die zondag gaat het dooien en de temperatuur stijgt naar een niveau dat hoger ligt dan gebruikelijk in deze tijd van het jaar. Als de zon erbij komt is het zelfs aangenaam buiten. Dat ervaart Thea van Beusekom ook en dus besluit ze haar belofte gestand te doen en een kijkje bij Hein Buurma te gaan nemen.

Op die zondagmorgen is Mie Buurma juist met de koffie bezig als er een rijtuigje voor het huis stopt. Er stapt een deftig gekleed meisje uit en tot verbazing van Mie klopt ze bij haar op de deur. „Ik ben Thea van Beusekom, mevrouw, en ik kom op uitnodiging van uw zoon Hein hier even langs om zijn beesten te bekijken en om afscheid te nemen."

„Oh!" reageert Mie verbaasd. Hein heeft noch over het meisje, noch over een uitnodiging gesproken. „Komt u maar binnen dan zal ik Hein even roepen." Vlug loopt ze naar de schuur waar Hein bezig is de konijnenhokken uit te mesten. De konijnen zijn van hem en hij wil zijn vader niet opzadelen met dat werk.

„Er is hier een deftig meisje in een rijtuig komen voorrijden, Hein. Ze heet Thea en zegt door jou te zijn uitgenodigd. Ik begrijp er niks van."

„Thea van Beusekom hier?" vraagt Hein en Mie knikt.

„Ja, zo heet ze. Ken je haar?"

„Zeker ken ik haar, maar ik had niet gedacht dat ze echt zou komen toen ik haar uitnodigde."

„Ze is er, dus kom maar gauw, want ik weet niet wat ik tegen dat deftige kind moet zeggen."

„Ik had niet gedacht dat je zo vlug zou komen," zegt Hein als hij Thea ziet. „Ik ben met de konijnen bezig en ik schaam me dood jou in mijn vuile werkkleren te ontvangen."

„Jij hoeft je nergens voor te schamen, want ik kom juist om naar je beesten te kijken. Zelf heb ik ook niet mijn beste kleren aan, hoor!" Mie verbaast zich over die uitspraak, want zelden heeft zij een zó chic gekleed meisje gezien.

„Nou, dat zal wel schikken," kan Mie dan ook niet nalaten te zeggen, maar Thea ontgaat het wat de moeder van Hein ermee bedoelt. Ze kan goed zien dat die vrouw de moeder van Hein is, want ze lijken op elkaar. Sedert haar laatste ontmoeting met Hein op het ijs is hij niet meer uit haar gedachten geweest. 'Waar het hart vol van is daar loopt de mond van over' luidt het gezegde en dat gebeurde thuis bij Thea ook. Lachend werd zij door haar moeder op haar nummer gezet en erop gewezen dat het niets dan kalverliefde is. „Je wilt toch niet gaan verkeren met een boerenknecht uit het dorp?" vroeg ze, maar Thea kon daar niet meteen op antwoorden. Als ze de knappe en sterke Hein Buurma verge-

lijkt met de papventjes die zij in haar eigen kringen ontmoet, dan pakt die vergelijking duidelijk in het voordeel van
Hein uit. Maar voor verkering is ze natuurlijk nog veel te
jong.

„Blieft u een kopje koffie, juffrouw?" vraagt Mie als Hein
even de kamer uit is om gauw wat anders aan te trekken.

„Ja graag, mevrouw, maar zegt u toch gewoon Thea; ik ben
pas zestien, hoor!" Mie en ook Nard, die net binnengekomen
is, beloven het, maar ze zijn toch blij als Hein zich weer bij
hen voegt. Voordat de 'stallen bezichtigd worden', zoals
Hein het lachend noemt, worden allerlei zaken besproken
en komt het gesprek toevallig ook op Lou Otten.

„Lou ken ik goed," zegt Thea. „Hij brengt bij ons vaak vis en
soms ook wat wild, maar dat niet alleen; Lou heeft mij laatst
ook goed geholpen." En dan vertelt ze dat ze voor het toela-
tingsexamen van de internationale school in Zwitserland
een opstel moest schrijven over een zelfgekozen onderwerp. „Toen heb ik als onderwerp de strenge winter van '90
gekozen en Lou heeft me daarover heel veel dingen kunnen
vertellen."

„Dat hadden wij ook wel kunnen doen, maar ik vrees dat
onze belevenissen voor jouw opstel wel wat te dramatisch
geweest zouden zijn," zegt Nard.

„Nou, wat Lou mij vertelde was ook erg dramatisch, hoor!
Hij vertelde dat tijdens die strenge winter het dochtertje van
zijn beste vriend is gestorven en dat hij daar ontzettend veel
verdriet van gehad heeft."

„Dat was ons dochtertje," zegt Mie en ze moet dan met een
zakdoekje haar ogen drogen, want bij de herinnering aan
die vreselijke winter schiet haar gemoed weer vol.

„Och, wat erg!" zegt Thea en in een opwelling staat ze op en
slaat haar armen om de nek van Mie om haar te troosten.
Het is een erg lief gebaar en ze zijn er allemaal stil van en
het is dan een poosje later niet alleen Hein die hartelijk
afscheid van haar neemt, maar ook zijn ouders.

„Een heel lief kind, maar geen meisje voor jou, Hein," zegt Mie als Thea weg is. Ze heeft gezien hoe hij en Thea naar elkaar keken en ze heeft daaruit haar eigen conclusies getrokken. „Je moet in het leven niet verder proberen te springen dan je polsstok lang is, jongen," waarschuwt ze hem.

„Dat weet ik best, moe, maar ik kan er niets aan doen het meisje erg lief te vinden en ik voel dat zij mij ook graag mag." Mie zou willen zeggen dat dat laatste wat zacht uitgedrukt is, maar ze houdt zich in. Wel is het een reden te meer niet aan die kalverliefde toe te geven, want dat het van beiden een soort kalverliefde is, staat voor haar wel vast. Hein neemt dat woord niet in zijn mond, maar hij weet ook best dat het tussen hem en Thea nooit iets zal kunnen worden. „Onze werelden liggen helaas te ver uiteen," is ook zijn conclusie. „Maar ik wil wel wat meer bereiken dan boerenknecht. Hoe weet ik nog niet, maar ik ga er wel voor knokken."

„Toen je van school kwam wilde meester Dongemans dat je zou doorleren, maar daar hadden wij geen geld voor, jongen. Dat is erg jammer, maar wij konden er ook niks aan doen," zegt Nard met een spijtig gezicht.

„Ik neem jullie niks kwalijk, pa, maar ik heb nou eenmaal die drang iets meer te willen bereiken dan soortgenoten."

„Je hebt dat van geen vreemde, jongen," zegt Mie. „Je vader was precies zo. Hij wilde ook altijd hogerop en een eigen bedrijfje werd een obsessie voor hem. Het is ten slotte gelukt, maar niet iedereen heeft het geluk dure schalen te vinden."

„Wie weet welk geluk mij nog eens ten deel valt, moe."

„Het grootste geluk dat een mens kan hebben, is gezond te zijn. Jij bent gezond. Wees daar blij om en stel je tevreden met wat je hebt." Het zijn wijze woorden van Mie, maar of Hein ze ter harte zal nemen valt te betwijfelen.

HOOFDSTUK 7

Het lijkt wel of het geluid van de kerkklokken midden in de nacht harder klinkt dan overdag. Het is donker en op het modderige pad naar de dorpskerk moeten de kerkgangers proberen de, met regenwater gevulde, kuilen te ontwijken. Ondanks de gewijde sfeer van deze kerstnacht klinkt er af en toe een onderdrukt gevloek als iemand toch misstapt en vervolgens loopt te soppen in zijn zondagse schoenen. De rijke boeren hebben daar geen last van, want zij rijden met hun verlichte kapwagens naar de kerk. Nard Buurma voelt zich wel boer met zijn paar koeien, maar een kapwagen is toch een te grote luxe voor hem, dus moeten hij en Mie het modderige pad voor lief nemen. De nachtmis willen zij bijwonen, want nooit voelen zij zich dichter bij hun Schepper dan in de kerstnacht.

Ondanks het wat druilerige weer is de kerk tot de laatste plaats bezet. De rijke boeren en notabelen van het dorp zitten vooraan en het gewone volk van daggelders en knechten vult de achterste rijen. Nard en Mie scharen zich nog steeds onder het gewone volk omdat ze zich daarbij het beste thuisvoelen. Om te kunnen verstaan wat meneer pastoor zegt, hoef je ook niet voorin te zitten, want de herder van hun parochie heeft een welluidende stem. In zijn preek heeft hij het uiteraard over de zware tocht van Jozef en Maria die voor een volkstelling op pad moesten, maar nergens onderdak vonden. In een herberg voor de dieren, oftewel een tochtige stal, vonden zij uiteindelijk onderdak en daar werd het Kindje Jezus geboren. Hij trekt parallellen met de toestand in de wereld en zegt blij te zijn in een dorp te wonen waar kinderen niet lijden door kou en honger. „Oremus," zegt hij en dan vouwen de gelovigen hun handen en bidden samen met meneer pastoor voor de noodlijdende bevolking in de arme landen. Mie bidt mee, maar onwillekeurig gaan haar gedachten toch terug naar de barre winter van '90 waarin haar kind niet alleen geleden heeft door honger en kou, maar ook gestorven is. Het is al een aantal jaren geleden, maar de ontstane wond is nog niet helemaal geheeld. Ze schudt die sombere gedachten van zich af en denkt aan het kerstfeest waarop zij een gast aan tafel zullen hebben. Die gast is Lou Otten. Gisteren stond hij plotseling voor hun neus en smeet een vet konijn op tafel.

„Jij zit morgen maar in je eentje en dus kom jij van het konijn meesmullen, Lou," zei ze, maar Lou sputterde eerst tegen, doch uiteindelijk vond hij het toch wel gezellig. Afgesproken is dat hij tegen koffietijd zal komen.

„Neem me niet kwalijk dat ik zit te gapen, Lou," zegt Nard als zijn vriend, zoals afgesproken, op deze eerste kerstdag tegen koffietijd arriveert.

„Ja, dat krijg je ervan als je bij nacht en ontij naar de kerk gaat," spot de vrijbuiter. „Terwijl jij je een weg baande door de modder, lag ik lekker tussen de warme lappen."

„Het staat je netjes zo je kerkelijke plichten te verzuimen," sneert Nard terug, maar de Kraai is niet voor één gat te vangen.

„Ik verzuim helemaal geen kerkelijke plichten; hoe kom je daar nou bij?"

„Nou, me dunkt! Ik zie je nooit in de kerk."

„Dat is niet waar. Ik doe precies wat ik moet doen. Niet meer, maar ook niet minder. Eén keer per jaar biechten en in de paastijd de Heilige Communie ontvangen'."

„Als jij één keer per jaar biecht, zal het wel lang duren," veronderstelt Nard.

„Helemaal niet. Ik zeg tegen de pastoor dat ik me van geen kwaad bewust ben en dat ik hem wel een lekkere hazenbout zal bezorgen."

„En dan?"

„Dan geeft-ie me lachend de absolutie. Pastoor Houtman heeft meer humor dan al die stijve harken van boeren bij elkaar, Nard. En wat doe ik nou voor kwaad in m'n eentje?"

„Nee hoor! Je bent een braaf jongetje," lacht Nard.

„Wie is een braaf jongetje?" vraagt Hein, die op dat moment binnenkomt. „Oh, ik zie het al: hoog bezoek!"

„Maar niet zo hoog als jij gewend bent," lacht Lou.

„Ik?"

„Ja, wie anders? Er wordt in het dorp tenminste over gepraat. Ze hebben jou met de dochter van Van Beusekom gezien en ik heb begrepen dat Thea hier zelfs op visite geweest is."

„Er wordt wat afgekletst in dit achterlijke dorp," moppert Hein. „Wie loopt er dan over te kletsen?"

„Wie denk je?"

„Die Jans Faber toch zeker niet!"

„Als er iets te roddelen valt, loopt de Toeter voorop. Ze vertelde dat jij aan je natte pak het meissie van Van Beusekom overgehouden hebt."

„Hoe verzint ze het," verzucht Hein, maar Lou vindt dat hij er genadig van afgekomen is.

„Over jouw moedige redding van Lientje Polman was ze vol lof en dat is ze over mij nooit geweest. In haar ogen doe ik nog steeds niks anders dan stropen en stelen, maar ik lach erom, want Jans moet je niet met een korrel, maar met een baal zout nemen."

Het kerstmaal met het vette konijn als hoogtepunt laat iedereen zich vervolgens goed smaken. Nard put zich uit in loftuitingen over de kookkunst van Mie, zodat die er verlegen onder wordt.

Kort na de jaarwisseling gaat het weer vriezen en na enkele nachten van strenge vorst kunnen de schaatsen uit het vet gehaald worden. Dirk Ploeger heeft op aanraden van zijn oude vader alvast een vergadering van de ijsclub belegd, want hij wil, zoals hij het lachend zegt, 'beslagen ten ijs komen'.

„En als mijn vader zegt dat het minstens een week blijft vriezen, dan geloof ik dat," voegt hij eraan toe. Van de oude Gijs Ploeger is bekend dat hij al vele jaren als de 'graadmeter' van het dorp wordt beschouwd. 'As Gaais op 't aais geweest is ken je d'r op' was de mening van eenieder. Gijs is nu te oud om zich nog op het ijs te begeven, maar naar zijn weersvoorspelling wordt nog vaak geluisterd en niet alleen in de winter. Zijn reputatie dankt hij vooral aan een wel heel wonderlijke voorspelling van zo'n veertig jaar geleden. Op een zondagochtend kwam hij uit de kerk en tegen zijn gewoonte in weigerde hij mee te gaan naar het café voor zijn zondagmorgenborrel. Het was een stralende warme dag en er was geen wolkje aan de lucht, maar Gijs keek naar boven en zei: „Jullie motte naar huis om je boel te bescherme, want over een uur valle d'r hagelstene as kippenaaiere zo grôat." De mensen lachten hem uit en namen rustig de tijd voor hun wekelijkse versnapering in het café van Kors Polman, de vader van Jaap. Maar na een goed halfuur begon de lucht te betrekken en nog maakten de mensen zich niet al te druk. Maar toen de lucht een kwartier later inktzwart werd, haastten ze zich naar huis, maar onderweg werden ze overvallen door een ongekend zwaar noodweer. Hagelstenen zo groot als kippeneieren richtten grote schade aan aan huizen en het gewas. Vele ruiten sneuvelden en door zware windstoten werden bomen ontworteld. Sedertdien werd en wordt er geluisterd naar Gijs Ploeger en zijn voorspellingen.

De oude Gijs Ploeger is niet op het ijs geweest, maar de dorpelingen weten dat het ijs sterk genoeg is als zij op een mooie dag in januari de schaatsen onderbinden. Een van hen is Leen van Meurs. Hij is in opleiding voor priester op het Klein Seminarie in Hageveld en hij heeft kerstvakantie. Leen duwt een grote slee voort met erop een stoel en op die stoel zit zijn zuster Mientje. De mensen moeten erom lachen, maar Mientje zelf heeft het prima naar haar zin. Schaatsen kan ze niet en dus heeft Leen deze oplossing bedacht. Hij is blij weer enkele weken thuis te zijn, want hij mist zijn ouders en vooral Mientje erg.

De opgeschoten jongens stoten elkaar aan en wijzen op 'malle Mientje', maar ze durven haar niet openlijk te bespotten, want haar broer Leen is niet zomaar iemand. Hij leert voor priester en uit respect daarvoor houden ze zich in. Maar als ze ver genoeg bij hem vandaan zijn, zodat hij hun niet kan horen, maken ze allerlei opmerkingen en lachen ze zich slap. Hein Buurma heeft ook de schaatsen onderge- bonden en ergert zich aan de knapen en neemt het op voor Leen. Hij zegt het aardig van hem te vinden dat hij zijn zus ook wat ijsplezier gunt. Mientje is een nichtje van Agaat Ploeger en af en toe komt ze even langs op De Rietkant, want Mientje is graag bij haar tante. De boerin is dan ook erg lief voor haar. Ze zou woedend zijn als ze hoorde wat de jongens allemaal uitkramen. Zelf stoort hij zich er ook erg aan, want Mientje heeft die spotternijen niet verdiend. Het is een hartelijk en lief meisje. Dat er een steekje aan haar los is, kan zij ook niet helpen.

Mientje zelf heeft niet in de gaten dat zij bespot wordt en als zij hem ziet, zwaait ze enthousiast.

„Zo, jij zit daar als een vorstin," zegt Hein als hij bij de slee komt om Mientje en Leen te begroeten.

„Ja, ik ben blij dat Leen vakantie heeft, want ik mis hem heel erg, hoor!" zegt ze en Leen beaamt het niet alleen, maar zegt dat hij zijn zus ook erg mist.

„Maar mijn vakantie zit er alweer bijna op," voegt hij er met een wat spijtig gezicht aan toe.

„Gaat het goed met de studie?" vraagt Hein en Leen knikt.

„Het is het laatste jaar op het Klein Seminarie en dan ga ik naar het Groot Seminarie in Warmond."

„Oh, dat is lekker dichtbij," vindt Hein en Leen is het wel met hem eens, maar legt uit dat hij daardoor niet vaker thuis zal zijn.

„Maar als het mag ga ik hem daar vaak opzoeken, hoor!" zegt Mientje en Leen laat het maar zo. Hij weet dat er ook en vooral op het Groot Seminarie strikte regels gelden en die laten niet toe dat Mientje maar in en uit kan lopen.

„Krijg je het niet koud als je zo stil op die slee blijft zitten, Mientje?" vraagt Hein en Mientje knikt.

„Als mijn handen te koud worden moet jij ze maar even warm wrijven," zegt ze en ze kijkt hem dan met een blik vol genegenheid aan. Ze laat duidelijk merken dat ze erg op hem gesteld is. Als ze bij tante Agaat is en Hein stoeit met Ria en Greetje, dan wil ze wel meedoen, maar tante Agaat zegt dan dat zij daar te groot voor is.

„Jij kan bij Mientje wel een potje breken, zo te zien," lachen de jongens als Leen en Mientje verdwenen zijn. „Is je verkering met dat deftige meisje uit De Meerkoet nu al uit?" Maar veel tijd om te grappen hebben de jongens niet, want er zijn wedstrijden georganiseerd en de rit over 250 meter gaat al gauw van start. Hein en zijn leeftijdgenoten hebben zich laten inschrijven, want er is weer wat spek en bonen te winnen.
Niet alleen bij de lessen op school was Hein zijn medeleerlingen meestal de baas, maar ook op de schaats weet hij van wanten. Als er ijs ligt en er worden wedstrijden georganiseerd dan wint hij prijzen. Soms de eerste prijs, maar meestal de tweede of derde.
Als de starter naar de startlijn loopt en de man met de vlag zich opstelt bij de finish, zijn dat de tekenen dat de wedstrijd gaat beginnen. Het is druk op de vaart voor de kerk en als de wedstrijd een aanvang neemt stellen de belangstellenden zich aan weerskanten van de baan op achter de, aan paaltjes gespannen, touwen. Het is een afvalrace en als Hein aan de beurt is wint hij zijn eerste rit. Als hij losjes terugrijdt ziet hij langs de baan Leen met Mientje op de slee en ernaast staat Antje Bennink. Beide meisjes klappen in hun handen. Hein zwaait naar Mientje en die zwaait enthousiast terug, maar ook Antje steekt haar hand op. Dat zet Hein aan het denken. Toen hij haar laatst een stuk krentenbol in haar mond stopte lachte ze hem al lief toe en nu zwaait ze naar hem. Antje is mooi. Te mooi voor een arme schillenboer uit De Tuit heeft hij altijd gedacht, maar nu staat ze voor hem in haar handen te klappen. Als hij nog eens omkijkt ont-

moeten hun blikken elkaar en het is net of ze hem bemoedigend toeknikt alsof ze wil laten blijken dat zijn kansen bij haar zo slecht nog niet zijn. Hij raakt er een beetje van in de war. Thea van Beusekom is ook lief en knap, maar zij is de dochter van een rijke industrieel en nagenoeg onbereikbaar. Hun werelden lopen ver uiteen. Maar de werelden van hem en Antje zijn gelijk. Ze zijn beiden kinderen van eenvoudige mensen en ze spreken hetzelfde dialect. Maar hij moet niet lopen te dromen, want hij krijgt alweer een teken dat-ie aan de start moet verschijnen. De helft van de deelnemers is inmiddels afgevallen en als hij ook deze rit wint, blijft er nog maar een kwart over. Hij komt ten slotte in de finale, maar verliest met een schaatslengte van zijn concurrent. Toch mag hij tevreden zijn, want de tweede prijs is goed voor acht pond spek.

Als hij zijn prijs opgehaald heeft ziet hij dat Antje nog op het ijs is. In een overmoedige bui klampt hij haar aan en vraagt haar of ze bij hen thuis spek lusten.

„Wie lust er nou geen spek," reageert Antje en er komt zowaar een blos op haar knappe toetje.

„Ik heb acht pond gewonnen. Ga je mee een paar pond bij jouw moeder afleveren?"

„Waar heb ik dat aan verdiend?" vraagt ze verbaasd. „Als je het nou aan dat meisje van die mensen uit de villa aan het meer zou vragen, dan kon ik dat begrijpen, maar die halen hun neus er misschien voor op."

„Dat weet ik niet, hoor!" Hein is een beetje overdonderd door de opmerking van Antje, maar dan bedenkt-ie dat ze misschien wel jaloers is. „Ik heb niks met dat meisje, Antje," zegt-ie dus maar gauw. „We hebben elkaar leren kennen toen ik Lientje Polman uit dat wak gered heb en toen hebben we een keertje samen geschaatst."

„Oh!" Het lijkt wel of zijn reactie haar oplucht, want ze zegt meteen dat ze het erg aardig van hem vindt dat hij haar wil laten delen in zijn prijs. „Dat komt zeker omdat ik je aangemoedigd heb," veronderstelt ze en Hein knikt dan maar.

Liever zou hij haar willen zeggen dat hij het doet omdat hij haar zo lief en mooi vindt.

„Wacht, ik pak even een rechte tak en hang daar de zak met spek aan," zegt hij. „Als jij het andere eind pakt dan sleep ik je in vliegende vaart naar je huis."

„Niet te hard rijden, want dan val ik," waarschuwt ze, maar ze slaakt gilletjes van plezier als Hein haar in hoog tempo over het gladde ijs trekt.

„Zo'n groot stuk spek en helemaal voor niks?" Toos Bennink slaat haar handen ineen van verbazing als Antje haar moeder de gulle gave van Hein toont en zegt dat zij gratis delen in zijn tweede prijs.

„Kom binnen, dan zal ik thee inschenken; je hebt toch wel even tijd?"

„Ja hoor! Over een uur hoef ik pas te melken, want er staan nogal wat koeien droog," zegt Hein. Het daggeldershuisje waarin Cor en Toos Bennink met hun gezinnetje wonen, doet hem sterk denken aan het huisje bij boer Nederpeld waarin hij als kind gewoond heeft. Hij weet dat Cor Bennink ook boerendaggelder is evenals zijn vader vroeger.

„Wie ben jij?" vraagt een 'verkleinde uitgave' van Antje en als Hein dan zegt hoe hij heet, zegt het blonde meisje met een piepstemmetje: „Ik heet Jopie. Kom jij met me blokken bouwen?"

„Het is ook overal hetzelfde," lacht Hein. „Bij boer Ploeger waar ik werk, weet het grut mij ook vaak te strikken voor een spelletje."

„Dan ben jij vast een kindervriend," concludeert moeder Toos en Hein kan dat niet ontkennen.

„Kom je, Hein?" klinkt weer het piepstemmetje van Jopie, maar dan grijpt moeder Toos in.

„Hein moet even zijn thee opdrinken, Jopie, en dan moet-ie gaan melken."

„Heb jij ook een geit?" vraagt Jopie dan. Als haar vader de geit melkt, staat zij er vaak bij te kijken en als Hein moet melken dan zal hij vast wel een geit hebben.

„Ja, ik heb een geit," lacht Hein, „maar straks ga ik koeien melken; dat doet jouw papa toch ook?" En zo babbelen ze nog even door, maar voordat Hein afscheid neemt, gaat-ie toch nog even bij Jopie op de vloer zitten om een toren van blokken te bouwen. Hij heeft daarmee niet alleen het hart van de kleine meid, maar ook van haar grotere zus gestolen. Ze knikt dan ook als Hein veronderstelt dat ze elkaar de volgende zondag misschien wel weer op het ijs of, als het dan dooit, in het dorpshuis zullen treffen.

In de stal is het aangenaam warm en het melken is een routinehandeling zodat Hein een beetje weg kan dromen en zijn ontmoeting met Antje en haar familie in gedachten de revue kan laten passeren. Hij is nog te jong voor verkering, maar Antje is wel erg lief en dus moet hij het contact met haar een beetje warm houden, te meer nu hij merkt dat hij haar niet helemaal onverschillig is. Ze kan hem zo lief aankijken en dat deed ze vooral toen hij met kleine Jopie een toren aan het bouwen was. Antje moet vroeger net zo'n lief klein blond meisje geweest zijn als Jopie. Ze lijken op elkaar. Stel dat hij later met Antje zou trouwen, dan krijgen ze misschien ook zo'n lief klein meisje. Maar nu denkt hij wel erg ver vooruit. Nee, aan trouwen is hij nog lang niet toe, zelfs niet aan verkering. De jongens zouden hem voor gek verklaren als hij nu al verkering zou nemen. Maar als er zondag nog ijs ligt dan zal hij haar vragen met hem te gaan zwieren. Alleen al van de gedachte haar in zijn armen te kunnen houden raakt hij opgewonden. Thea durfde hij niet te kussen, maar Antje wel. Nu al voelt hij dat er minder afstand tussen hem en Antje is dan tussen hem en Thea. Antje is een gewoon meisje uit het dorp, maar Thea is, met haar chique kleren en deftige taaltje, een soort toverfee. Ja, daar heeft hij haar bij hun eerste ontmoeting mee vergeleken. „Niks voor jou," zei zijn moeder en daar is hij het eigenlijk wel mee eens. Van wat oudere jongens hoort hij soms dat ze met meisjes in de schuur op een baal stro gaan zitten vrijen. Dat ziet hij zichzelf met Thea nog niet doen. En met Antje? Ja, met Antje wel. Hij zou haar op zijn knie trekken en haar mooie rode mondje kussen tot ze geen adem meer zouden hebben.

„Ben je in slaap gevallen?" hoort hij Dirk Ploeger plotseling vragen en dan schrikt hij op uit zijn gepeins. Hij zit op het melkblok met de emmer tussen zijn knieën, maar de spenen van de koe beroert hij niet meer. „Of zit je erover te prakkiseren hoe je kindskinderen aan de kost moeten komen?" lacht Dirk.

„Nee hoor! Ik ben klaarwakker," lacht Hein nu ook maar, maar zijn lach klinkt wat gemaakt, want hij schaamt zich er een beetje voor zo te zitten dromen.

De volgende zondag is het geen schaatsweer meer. Enkele dagen ervoor is de dooi ingevallen en het is nu kwakkelweer. Er valt natte sneeuw en buiten is het een vieze natte kledderboel. Ondanks het slechte weer gaat Hein die zondagmiddag voor enkele uurtjes naar het dorpshuis, want daar ontmoet hij niet alleen zijn kameraden, maar ook en vooral Antje. Dat hoopt hij tenminste. En zijn hoop gaat in vervulling, want Antje is er met enkele vriendinnen. Het eerste wat hem opvalt als hij binnenkomt is, dat Wim Pompe en Koos Mulder het gezelschap van Antje opgezocht hebben. Hij voelt een lichte jaloezie in zich opkomen, maar als hij Antje aankijkt ziet hij een blijde glans in haar ogen. Ze staat op en, kennelijk in de hoop dat hij bij haar komt zitten, zoekt ze een plaatsje aan de andere kant van het zaaltje. Hein heeft haar reactie begrepen en ploft naast haar op een stoel en fluistert haar in het oor dat hij blij is dat ze gekomen is. Antje krijgt een kleur en kijkt hem met haar mooie ogen weer zó lief aan, dat hij een beetje dichter naar haar toe schuift.

„Wat zitten jullie daar te smoezen?" vraagt Wim Pompe met een zuur gezicht. Het zint hem helemaal niet dat Antje hem in de steek laat en het gezelschap van Hein Buurma opzoekt. Hij heeft gezien hoe Hein de gunst van het mooiste meisje van het dorp min of meer kocht door haar een paar pond spek te geven na het winnen van zijn tweede prijs bij het hardrijden. Zelf is hij niet zo'n goede schaatser en dat vindt hij eigenlijk wel jammer, want meiden willen altijd een jongen die iets presteert. En Hein won niet alleen de tweede prijs met schaatsen, maar enkele weken eerder redde hij ook Lientje Polman al uit een wak. Alle dorpelingen, de meiden voorop, hadden bewondering voor Hein. En wat presteert hij? Niks! Het enige waarin ze elkaars gelijke zijn is het werk. Ze zijn beiden boerenknecht. Hij langer dan Hein, want die was eerst schillenboer in De Tuit en daar had niemand een hoge pet van op.

„Ik vertel Antje een geheim en dat houden we voor onszelf, hè Antje?" reageert Hein op de vraag van Wim en Antje knikt.

„En wat vertel je haar dan?" dringt Wim aan, maar dan schudt Hein zijn hoofd.

„Als ik jou dat vertel is het geen geheim meer," maakt hij zijn kameraad nieuwsgierig.

„Hij kletst maar wat, joh," komt Koos Mulder tussenbeide. „Laat die twee toch lekker tortelen, morgen gaat-ie misschien weer theedrinken in De Meerkoet en is-ie Antje glad vergeten," sneert hij. Het is een wat pijnlijke opmerking, maar Hein meent er verstandig aan te doen er niet op te reageren. In plaats daarvan kijkt hij Antje diep in de ogen en schudt nauwelijks zichtbaar zijn hoofd. Voor anderen nauwelijks zichtbaar, maar Antje heeft het gezien en ze gelooft hem. Voor haar is Hein de liefste en knapste jongen van het dorp. Nog maar kortgeleden stopte hij een halve krentenbol in haar mond en dat vond ze al zo'n lief gebaar. Met het rijke meisje uit de villa aan het meer heeft hij niks. Dat heeft hij zelf gezegd en ook uitgelegd hoe hij met haar in contact gekomen is. Een nog liever gebaar dan met die krentenbol vindt ze zijn idee haar moeder een groot stuk spek te brengen en er ging een golf van genegenheid door haar heen toen hij zo lief zat te spelen met Jopie. 'Een kindervriend' noemde haar moeder hem en daar is ze het helemaal mee eens. Iemand die lief is voor kinderen is dat ook voor groten. Zij is graag in zijn nabijheid en de andere jongens laat ze maar kletsen. Dat doet ze ook de volgende zondagen en zo groeit er langzamerhand een hechte band tussen haar en Hein Buurma.

En dan is het dorp op een dag in rep en roer door een wel heel bijzondere gebeurtenis. Af en toe trekken zigeuners en andere donkere vreemdelingen met een woonwagen door het dorp. Meestal zijn ze op weg naar een kermis of verdienen ze hun geld met het slijpen van handgereedschap. Dat laatste is ook de stiel van Fransman Gaston die met zijn vrouwelijke metgezel Chantal in zijn aftandse woonwagen met een magere knol ervoor door Europa trekt. Chantal verdient ook een deel van de kost door goedgelovige mensen de hand te lezen, maar op het moment dat Gaston door het dorp aan de Wijde Laak trekt heeft zij wel iets anders aan haar hoofd. Zij loopt op alle dag, maar van een gelukkige toekomstige vader is geen sprake. Gaston is een zuiplap en hoerenloper en hij is Chantal en haar nog ongeboren kind liever kwijt dan rijk. Aan het gekerm merkt hij dat de bevalling aanstaande is en dus zet hij koers naar De Tuit waar hij scharrelaar Frans Sjardin kent.

„Bonjour François," zo begroet hij zijn kennis joviaal. „Ecoutez, Chantal est enceinte, kindje krijgen." Hij moet zijn mengelmoesje van Frans en Nederlands ondersteunen met gebaren om Frans duidelijk te maken wat er aan de hand is.

„Ja, ik begrijp het, gefeliciteerd," zegt-ie, maar Gaston schudt zijn hoofd. „Chantal doit accoucher dans ton lit… in jouw bed kindje krijgen."

„Non, beste vriend; ik wil geen poppenkast in mijn huis."

„Jij zegt 'vriend', mon ami, copain; ayez pitié. Jij helpen," dringt Gaston aan, maar Frans Sjardin piekert er niet over de vrouw in zijn huis te laten bevallen. Hij verwijst hem naar Lou Otten, die een heel huis voor zichzelf heeft en dus wel even een plaatsje kan inruimen voor een zwangere vrouw.

„Huisje bij meer; Lou goeie man… daar vragen," zegt-ie en legt de Fransman zo goed en zo kwaad als het gaat uit hoe hij er moet komen.

Teleurgesteld vertrekt Gaston naar het huisje van Lou en als hij daar arriveert hoort hij aan de geluiden in de woonwagen dat Chantal het moeilijk heeft. Dat hoort ook Lou als de wagen voor zijn huis tot stilstand komt. Hij is buiten bezig en als er een slungelachtige donkere kerel van de bok springt en naar hem toe komt wil hij weten wat dat gekrijs in de wagen te betekenen heeft. „Het lijkt wel of er daarbinnen iemand vermoord wordt," zegt-ie, maar de kerel schudt zijn hoofd.

„Vrouw hier kindje krijgen zegt François Jardin."

„Wie is dat?" Lou kent niemand met die naam.

„Vriend in Tuit," verduidelijkt Gaston en dan gaat Lou een lichtje op.

„Oh, je bedoelt Frans Sjardin."

„Oui, oui, François Jardin, ton copain." Terwijl Gaston het zegt klinkt er een ijselijke kreet uit de woonwagen en dan valt Gaston op zijn knieën en smeekt Lou hem te helpen.

Een dier in nood zou Lou onmiddellijk helpen. Moet hij een vrouw in nood weigeren? „Draag haar maar naar binnen en haal jij dan vlug de vroedvrouw," geeft Lou dan snel zijn orders. Vervolgens schrikt hij als hij de vrouw ziet. Het is niet warm, maar het zweet druipt van haar gezicht en haar zwarte haar klit er in natte slierten omheen. Ze kermt en bijt haar lippen stuk van de pijn. „Opschieten!" roept-ie de kerel na als hij hem heeft uitgelegd hoe hij het vlugst bij Trees Vergunst komt.

Terwijl Gaston onderweg is, zit Lou met de kermende vrouw waar hij geen woord van verstaat. „Ça fait mal en j'ai peur, aidez-moi!" kermt ze, maar Lou weet niet wat ze bedoelt en nog minder wat hij moet doen. Als Gaston lang wegblijft besluit hij vlug naar De Tuit te gaan om Mie Buurma te halen.

„Kom vlug mee, Mie," stottert-ie buiten adem als hij bij het huisje in De Tuit aankomt.

„Waarheen dan?" vraagt Mie verbaasd. Ze heeft Lou nog nooit zo in paniek gezien.

„Kom nou maar; ik leg het je onderweg wel uit," maant hij haar tot spoed.

„Ik heb die woonwagen hier ongeveer een uur geleden wel gezien," zegt Mie als Lou zijn verhaal verteld heeft. „Een donkere en magere kerel stond met Frans Sjardin te praten."

„Ja, dat klopt. Van die Gaston heb ik begrepen dat Frans hem en zijn zwangere vrouw naar mij gestuurd heeft. Een lekkere vent is dat. Als alles achter de rug is zal ik hem eens flink de oren wassen."

„Laten we ons nou eerst maar bekommeren om die arme vrouw," vindt Mie. „Misschien is Trees er al. Je hebt de deur toch niet op slot gedaan?"

„Nee, dat niet, maar de hond loopt los en die duldt geen vreemd volk op het erf als ik er niet ben."

„Oej! Hij kan toch niet bij die vrouw komen?" schrikt Mie, maar Lou stelt haar gerust en zegt dat de deur van haar kamertje dicht is, zodat de hond er niet bij kan.

Bezweet van het vlugge lopen komen ze bij het huis van Lou en als ze er binnengaan horen ze gilletjes en huilgeluiden uit het kamertje komen. Dan ontdekken ze ook dat Trees er nog niet is. Met knikkende knieën gaat Mie het kamertje binnen en ze schrikt dan als ze de radeloze vrouw, badend in haar zweet, op het bed ziet liggen. Als de vrouw haar ziet, vouwt ze haar handen en bidt: „Sainte Marie, mère de Dieu, priez pour nous, pauvres pécheurs, et pardonnez-nous nos offenses…"

„Ik versta je niet, rustig maar," zegt Mie die niet weet dat de vrouw bidt uit een soort dankbaarheid voor haar komst. Ze heeft nog slechts mannen gezien en ze voelt dat haar kindje al heel gauw geboren zal worden, dus is ze blij dat er een vrouw aan haar bed komt.

Als Lou zijn hoofd om de hoek van de deur steekt draagt Mie hem op alvast een grote ketel water op het vuur te zetten en ze wil ook een zeil om onder de vrouw te schuiven. Lou doet wat hem gevraagd wordt, maar als hij met een vies dekzeil van zijn boot binnenkomt, haal Mie haar neus op. „Heb je niks anders?" vraagt ze, maar Lou schudt zijn hoofd. „Dan wordt je matras vuil," voorspelt ze en die voorspelling komt meteen uit, want als ze de deken opslaat ziet ze tot haar schrik dat de vliezen al gebroken zijn. „Waar blijft Trees toch?" steunt ze, maar ze heeft geen tijd daar lang bij stil te staan, want bij de vrouw volgen de weeën elkaar nu erg snel op.

„Ik span de hit voor de kar en rijd Trees tegemoet," besluit Lou en hij voegt meteen de daad bij het woord. Van Mie begrijpt hij wel dat er erg veel haast bij is en dat elke minuut telt. Op de rechte stukken tuurt hij de weg af of hij Trees nog niet ziet komen, maar alles wat-ie ziet, geen vroedvrouw. Hij is dan ook stomverbaasd als hij haar nietsvermoedend thuis aantreft.

„Ben jij dan niet gewaarschuwd, Trees?" vraagt-ie nerveus en de vroedvrouw haalt haar schouders op.

„Moet jij soms vader worden?" vraagt ze lachend. Het beeld van nerveuze vaders aan de deur is niet nieuw voor haar.

„Er is hier toch een Fransman geweest om jou te roepen?"

„Je spreekt in raadsele, Lou. Hier is niemand geweest, maar zeg me vlug wat er aan de hand is, want aan je zenuwachtige gedoe merk ik dat ik dringend ergens gewenst ben."

„Ja, er ligt bij mij een vrouw en die moet een kind krijgen. Volgens Mie Buurma zijn de vliezen al gebroken."

„Ik begrijp er niks van, maar ik ga met je mee." Trees trekt haar mantel aan, pakt haar, altijd gereedstaande, tas en volgt Lou. „Vertel me onderweg maar wat er aan de hand is." Lou helpt haar op de wagen, laat het paard draven en het lukt hem maar matig de herrie van de ratelende wielen te overstemmen, maar het is Trees wel zo ongeveer duidelijk wat er gebeurd is. Alleen kent ze nog niet het hele verhaal, want terwijl Lou onderweg is, staat Mie duizend angsten uit. De vrouw heeft al volledige ontsluiting en als ze enkele sterke weeën krijgt komt het kruintje van het kind al tevoorschijn. Dan begrijpt Mie dat angst een slechte raadgever is en dat ze nu moet handelen. Ze probeert zich haar eigen bevallingen voor de geest te halen en ze buigt zich over de vrouw. Ze pakt haar beide handen en moedigt haar aan te persen en de perswee vast te houden. En dan lijkt het wel of er geen taalbarrière meer is tussen de twee vrouwen en even later klinkt er het geschrei van het kindje.

„Een meisje," stamelt Mie en „Une petite fille," stamelt Chantal, het kind op haar buik trekkend. Ze ligt na te hijgen, maar er komt een gelukkige glimlach op haar gezicht, waarvan de spanning en pijn nu grotendeels verdwenen zijn. Pas dan ziet Mie dat het een nog jonge knappe vrouw is. In de consternatie is zij vergeten Lou een schaar klaar te laten leggen. Een schaar die zij in het kokende water moet houden alvorens de navelstreng door te knippen. Ze gaat in het huis op zoek naar zo'n stuk naaigereedschap, maar ze vindt het nergens. Wel staat er een grote ketel water op de kachel te stomen en er is ook wel een teiltje. Maar het kindje wassen zonder de navelstreng doorgeknipt te hebben, kan niet. Terwijl ze in dubio staat wat te doen, hoort ze tot haar opluchting het geratel van de wagen van Lou en nog geen minuut later stapt Trees naar binnen.

„Goddank dat je er bent, Trees," zucht ze. „Het kindje is er al."

„Dan zal ik eens gauw kijken wat ik nog kan doen," zegt Trees en ze komt dan meteen in actie. Geroutineerd doet ze wat er gedaan moet worden en als Mie zorgt voor een teiltje warm water kunnen het kindje en de vrouw gewassen worden. Het is verder wel behelpen, want schoon beddengoed en handdoeken zijn niet voorhanden. Schoon ondergoed voor de vrouw evenmin. De baby wordt in een hemd van Lou gewikkeld.

„Wat een schatje!" zegt Mie als de kleine met haar donkere koppie tevreden tegen haar moeder aan ligt.

„Maar wat moet ik nou met dat mens met haar kind?" vraagt Lou zich hardop af. „Hier kunnen ze natuurlijk niet blijven."

„Toch kun je haar niet meteen vervoeren, Lou," zegt Trees. „Het hoeft ook vandaag direct niet."

„Vandaag niet en morgen niet, maar misschien over ruim een week," reageert Trees tot ontsteltenis van Lou.

„Hoe moet dat dan, Trees?"

„Luister, Lou. Span jij de hit maar weer voor je kar en rijd me naar huis, maar wel langs de woning van dokter Risseeuw. De dokter spreekt vast wel een mondje Frans en hij moet dan maar uitvissen waar haar man gebleven is en hoe het verder moet."

„Praat jij met de dokter, Trees?"

„Als jij dat graag wilt, dan doe ik dat." En een kwartiertje later is de dorpsdokter op de hoogte. Hij vindt het een bijzonder verhaal en belooft nog diezelfde dag langs te zullen komen.

„Maar wie draait nou op voor de kosten?" wil Lou nog weten als hij zijn weg met Trees naast zich op de bok vervolgt. „Jij moet betaald worden en de dokter doet het ook niet voor de kat z'n dinges."

„Ik vraag hiervoor geen vergoeding, Lou, en de dokter zal zich ook wel drie keer bedenken voordat hij jou een rekening stuurt. Hij zal je eerder prijzen voor je menslievende daad."

„Daar zit ik nou ook niet op te wachten, Trees. Ik denk dat ze zich in het dorp slap lachen als ze horen dat uitgerekend ik een zwangere vrouw in huis genomen heb. De Toeter zal haar bekkie ook wel weer roeren, maar als ze het te gek maakt, zal ik deze keer wel eens een bak stront boven haar deur hangen."

„Als je het maar laat," lacht Trees. „Ik dacht dat dat smerige gebruik allang uitgestorven was."

„Dat zal best wezen, maar voor die kletskous blaas ik dat gebruik graag nieuw leven in." En lachend: „Ik zie haar gezicht al voor me als ze de deur opent en ze vervolgens van kop tot teen onder de derrie zit."

„Beul!" lacht Trees nu ook. Ze vindt het een smerig gebruik, maar aan die kletstante van een Jans Faber ergert ze zich al jaren en als ze iemand zo'n onfrisse 'doop' gunt, dan is zij het wel.

Als Lou terug is gaat Mie even naar huis om Nard te informeren, maar ze belooft meteen erna terug te zullen komen en samen met hem de komst van de dokter af te wachten. Lou wil dat graag, want als de dokter bepaalde instructies geeft dan zal Mie die eerder begrijpen dan hij. En Mie is dat wel met hem eens.

„Moeder en kind zijn kerngezond, maar de vrouw moet wel minstens een week rust houden," bevestigt dokter Risseeuw de woorden van de vroedvrouw. Mie is samen met hem bij de kraamvrouw en die leeft helemaal op als er eindelijk iemand aan haar bed komt met wie zij in haar eigen taal kan praten. Mie verstaat er niets van, maar de dokter belooft haar dat hij straks zal vertellen wat er zoal besproken is.

„Zij en haar metgezel komen uit Frankrijk, maar dat hadden jullie waarschijnlijk al begrepen," zo begint de dokter zijn verslag. „Maar wat jullie waarschijnlijk niet weten is, dat Chantal, want zo heet zij, niet met Gaston, de vader van haar kind, getrouwd is. Die Gaston is een zuiplap en hij brengt zijn geld bij vrouwen van bedenkelijk allooi. Samen hebben ze veel ruzie gehad en kennelijk heeft hij nu zijn kans schoon gezien ervandoor te gaan."

„Wat een schoft!" kan Mie niet nalaten te zeggen. „Maar wat zijn haar plannen, dokter?"

„Die heeft ze niet. Al haar bezittingen, inclusief haar kleren en die van haar kindje, zijn in de woonwagen van die Gaston achtergebleven."

„Het arme schaap." Mie schudt haar hoofd over zoveel ellende. „Weet ze al hoe het meisje gaat heten?"

„Ze vroeg naar de naam van de man die haar hier zo liefdevol opgenomen heeft."

„Nou, liefdevol," protesteert Lou. „Ik werd voor het blok gezet en nu zit ik met de gebakken peren."

„Niet zo somber, Otten," vermaant de dokter de vrijbuiter. „Chantal is jou erg dankbaar hoor, want toen ik op haar vraag antwoordde dat jij Lou heet, wist ze meteen de naam van haar dochtertje."

„Je noemt een meisje toch geen Lou?"

„Dat doet ze ook niet; ze noemt haar Louise en dat zijn maar drie lettertjes meer."

„Oh, nou ja…" Lou is er zó verlegen onder dat hij niet uit zijn woorden kan komen.

„Ja, zeg nou maar eerlijk dat je het erg leuk vindt," lacht de dokter. „Het is een heel mooi kindje en je moet Chantal Desmaraux maar eens goed aankijken, dan zie je dat het kindje op haar lijkt." Bij de laatste opmerking geeft de dokter Mie stiekem een knipoog. Hij vindt het eigenlijk wel amusant dat zo'n mooie exotische jonge vrouw uitgerekend bij de verstokte vrijgezel Lou Otten terechtgekomen is.

„Toch blijf ik erbij dat ik me behoorlijk in de nesten gewerkt heb door die vrouw in huis te halen, dokter. Alles wat ze had is in die woonwagen achtergebleven. Ze heeft nu dus van alles voor zichzelf en voor haar kindje nodig. Waar haal ik dat in vredesnaam vandaan?"

„Je staat er niet alleen voor, Otten. Als je het goedvindt ga ik even bij het gemeentehuis langs om het meisje aan te geven en als Louise Desmaraux te laten inschrijven en dan zal ik meteen financiële ondersteuning voor je vragen. In dit soort gevallen is dat mogelijk."

„Maar wat moet ik met geld, dokter?"

„Ik zal er wel voor zorgen dat er kleding en beddengoed

voor gekocht wordt, Lou," biedt Mie aan. „En ik zal ook wel bakeren tot Chantal op de been is en daarna zien we wel verder."

„Zie je nou wel dat je er niet alleen voor staat, Otten," constateert de dokter tevreden en als hij nog even bij de kraamvrouw en haar kindje gaat kijken, liggen ze beiden te slapen als een roos.

Zoals te verwachten was is het nieuws over de geboorte van een kindje onder het dak van de Kraai als een lopend vuurtje door het dorp gegaan. Jans Faber laat overal haar gezicht zien om maar geen detail van de spannende gebeurtenis te hoeven missen. Zij is dan ook na enkele dagen het best geïnformeerd van allemaal en zonder het te weten riskeert ze door haar commentaar een stortbad van stinkende gier.

„Die Fransoos is d'r tussenuit geknepe en nou ken Lou die vrouw met 'r klaaine niet meer kwaait. En dat waaiffie is nou al gek op Lou, want ze heb die klaaine naar hem vernoemd."

„Maar het is toch geen jongetje," menen de mensen te weten.

„Nee, 't is 'n maaissie, maar ze heet toch Lou." Jans heeft de klok horen luiden, maar ze weet niet waar de klepel hangt.

„Maar as je 't maain vraagt," gaat Jans verder, „geeft 't geen pas dat de Kraai met die vrouw onder één dak leeft."

„Ik ben het met je eens, Jans," zegt de vrouw van de rietdekker. „Ik vind dat jij die vrouw met haar kindje maar in huis moet nemen." Maar dat is niet de bedoeling van de Toeter.

„Mens, laat naar je kaaike; wat mot ik met ze? Ik ken 't goeie mens niet eens verstaan." De opmerking van de rietdekkersvrouw tempert de enthousiaste roddelpraat van Jans een beetje, maar het voorval blijft nog lang het gesprek van de dag.

HOOFDSTUK 8

De komst van de kieviten is de voorbode van de naderende lente. De vogels maken de raarste buitelingen in de lucht om indruk te maken op de vrouwtjes beneden. Woerden vliegen als dollen achter eenden aan en eksters zijn alweer bezig met het restaureren van hun oude nest. In de natuur zijn de dieren bezig hun voortbestaan met nageslacht zeker te stellen.

Maar niet alleen de beesten voelen het voorjaar en hun paringsdrang groeien, ook mannen kijken met meer dan gewone belangstelling naar meisjes en vrouwen. Zij weten welke verleidelijke vormen er onder de hooggesloten jakken en lange rokken schuilgaan. Zo ook Gijs Voorhuis, de grote boer van hoeve Laakzicht. Op zijn lelijke vrouw is Gijs allang uitgekeken, maar niet op de meid Antje Bennink en dat laatste heeft voor Antje onverwachte gevolgen.

Haar heldere en vrolijke lach klinkt als een misplaatste grap op deze regenachtige en kille ochtend in maart.

„Jij bent ook niet stuk te krijgen," zucht moeder Toos Bennink als haar achttienjarige dochter vrolijk stoeit met haar kleine zusje. „Je hebt op Laakzicht de bons gekregen, maar je schijnt er niet wakker van gelegen te hebben."

„Als ik de bons niet gekregen had was ik er met mei zelf weggegaan," zegt Antje monter. „Je weet toch dat die boer me al een poos de strot uithangt?"

„Was hij zó vervelend?" Toos heeft haar dochter er wel vaker over gehoord en zich er ook zorgen om gemaakt, maar dat het bij Antje zó hoog zat had ze toch niet gedacht. Antje is een knappe meid en ze ziet aan de ogen van de jonge kerels dat die graag een kansje bij haar mooie dochter zouden wagen, maar Antje ging er tot voor kort nooit op in. Tot voor kort, want nu schijnt ze het zwaar te pakken te hebben van Hein Buurma.

„De boer was vervelend en de boerin is jaloers," reageert Antje op de vraag van haar moeder.

„Maar wat was nou precies de reden waarom je de bons gekregen hebt, meissie?"

„De bons is een groot woord, moe. De boerin heeft me twee maanden loon meegegeven en gezegd dat het beter is dat ik ga voordat er gekke dingen gebeuren."

„Gaf jij daar dan aanleiding toe?"

„Welnee!"

„Maar vond de boerin van wel?"

„De boerin is een lelijk mormel en ze beweert dat ik met mijn gat loop te draaien als er mannen in de buurt zijn."

„Zei ze dat zó?"

„Ze zei dat ik loop te heupwiegen en dat ik daarmee mannen verleid en ook dat ik te veel met mijn borsten loop te pronken."

„Met je borsten?" Toos kijkt haar dochter met een ongelovig gezicht aan.

„Van haar is het de kift, moe. Zelf is de boerin zo plat als een dubbeltje en de boer is een gruizige bok. Ik ben blij dat ik er weg ben. Als ik weer een baan zoek vraag ik eerst hoe oud de boer is." Het laatste heeft Antje lachend gezegd.

„Ga je dat hele verhaal ook aan Hein vertellen?" Toos vindt het nou niet bepaald een onderwerp om met een man te bespreken, maar Antje denkt daar anders over.

„Hein zal willen weten waarom ik bij Gijs Voorhuis weg ben en ik ben niet van plan hem maar iets op de mouw te spelden. Eerlijk duurt het langst, moe; dat heb je me zelf altijd voorgehouden."

„Dat is zo, maar je hoeft toch niet alle details te vertellen."

„Vertellen niet, maar misschien ga ik wel voordoen hoe ik volgens de boerin de mannen verleid." Lachend pakt ze Jopie op en danst met de kleine meid door de kamer en als ze haar weer neergezet heeft, loopt ze heupwiegend de keuken in.

„Als je het maar laat!" roept Toos haar na, maar ze is niet echt bang dat die dekselse meid het ook werkelijk zal doen.

Die zondagmiddag is de geboorte van het Franse meisje in het huis van de Kraai wederom het belangrijkste onderwerp van gesprek in het dorpshuis. Dat komt vooral omdat Hein Buurma er is, want van hem wordt verwacht dat hij van de hoed en de rand weet. Lou Otten is immers dik bevriend met zowel Hein als met diens ouders en de moeder van Hein was bij de geboorte en heeft ook gebakerd. Een betrouwbaarder bron van informatie kunnen ze niet bedenken. Van hem horen ze ook dat het meisje niet Lou, maar Louise heet en dat de Kraai haar gemakshalve maar Loesje noemt. 'Loesje Kraai' meent een lolbroek en hij realiseert zich dan niet dat die naam in het dorp voortaan vaker gebruikt zal worden dan Louise Desmaraux.

Als Antje Bennink binnenkomt maakt Hein gauw een plaatsje naast zich vrij. Officieel verkering hebben ze nog niet, maar als ze ergens samen zijn, hebben ze slechts oog voor elkaar. Het is mooi weer en Hein heeft eigenlijk geen zin tot aan melkenstijd binnen te zitten. Hij stelt Antje dan ook voor een wandeling langs het meer te maken. Vooral in de zomer als de bosschages wat zwaarder in het groen zitten, is dat een voorkeursroute voor verliefde stelletjes. En verliefd zijn Hein en Antje zo langzamerhand wel. Ook haar moet Hein onderweg uitvoerig inlichten over de wel heel bijzondere gebeurtenis in het huisje van Lou Otten en Antje moet lachen om de lolbroek die het kindje van die Chantal Loesje Kraai noemde. „Dan kan Lou Otten zijn huisje wel Het Kraaiennest noemen," lacht ze en Hein neemt zich voor een plank te beschilderen met die naam en die aan te bieden aan 'het jonge stel'. Net als de meeste dorpelingen moet Antje ook lachen om de gekke situatie. Die vrijbuiter van 'n Kraai plotseling een soort huisvader. Chantal is inmiddels al wel weer op de been, maar ze weet niet waar ze heen moet met haar kindje en Lou kan er niet toe komen het mens met de kleine buiten de deur te zetten.

„De vrouw van de rietdekker heeft de Toeter, die natuurlijk weer de meest fantastische kletsverhalen rondbazuint, voorgesteld Chantal met haar kindje in huis te nemen," weet Antje.

„Maar toen was ze niet thuis zeker," veronderstelt Hein en Antje knikt.

„Mijn moeder hoorde het verhaal van een buurvrouw en die wist te vertellen dat Jans een beetje van die opmerking geschrokken is. Maar ik heb ook nog een nieuwtje, Hein."

„Vertel op!"

„Ik ben weg bij de Laakhoeve."

„Je meent het; waarom dan? Heb je de bons gekregen?"

„Ja, met twee maanden loon omdat de boerin zich kennelijk schaamt voor de misdragingen van haar man."

„Misdragingen? Wat heeft Gijs dan uitgevreten?"

„Hij kan zijn handen niet thuishouden."

„Daar schrik ik van, Antje. Kom, laten we hier even gaan zitten." Hein gaat op de stam van een omgewaaide boom zitten en slaat zijn arm om Antje heen. Het is hem bekend dat boeren en hun zoons soms wat al te vrijpostig met de meid omspringen. Hij heeft van boerenzoons er wel opschepperige verhalen over gehoord en dan nog wel meegelachen ook, maar nu het zijn meisje, zijn lieve Antje, betreft, voelt hij een golf van woede in zich opkomen. „Wil je me vertellen wat hij deed, schatje?" Onwillekeurig gebruikt hij dit kooswoordje, omdat er een onbedwingbaar gevoel in hem opwelt dit mooie, lieve en zachte meisje tegen de brute grijphanden van de rijke boeren te beschermen.

„Je begrijpt het toch zelf wel, jongen. Gijs Voorhuis is een gruizige bok en als ik ergens met hem alleen ben moet-ie me zo nodig even aanraken en in het boenhok greep hij me laatst van achteren beet en moest ik zijn handen van mijn borsten aftrekken."

„De schoft!" sist Hein. „Wat let me die boer bij z'n strot te pakken en hem een hardhandig lesje te leren, zodat hij voortaan zijn poten thuishoudt."

„Het kan niet meer gebeuren, want ik ben er weg, lieverd." Het doet Antje goed dat haar lieve jongen het zó voor haar opneemt en ze vlijt haar hoofd dan ook tegen hem aan en als ze naar hem opkijkt kan Hein het niet laten zijn lippen op haar rode mondje te drukken. Ze kust hem innig terug en als Hein haar op zijn knie trekt vinden hun monden elkaar in een schier eindeloze kus.

„Hou je een beetje van me, lieveling?" vraagt hij en hij drukt haar ranke zachte lijfje tegen zijn brede borst.

„Een beetje veel," zegt ze zacht en ze nestelt zich behaaglijk op zijn knie en drukt zich stevig tegen hem aan. „Bij jou voel ik me zo veilig; ik zou zo wel altijd willen blijven zitten." Ze lacht haar witte tanden bloot en laat haar lieve jongen begaan als hij haar gezichtje met kleine innige kusje over- laadt. Maar dan springt ze op en wijst hem erop dat de kerk- klok al drie slagen heeft laten horen. „Je moet opschieten, hoor! Om halfvier moet je toch bij Dirk zijn om te melken?"

„Je hebt gelijk, maar als ik met jou samen ben vergeet ik de tijd." Terwijl-ie het zegt denkt hij terug aan die keer dat hij ook zijn tijd vergeten was en van Dirk Ploeger op zijn kop kreeg. Toen was hij op visite bij Thea van Beusekom. 'Kalverliefde' noemde zijn moeder dat en achteraf moet hij toegeven dat ze gelijk had. Wat hij toen voor Thea voelde betekent niets in vergelijking tot zijn gevoelens voor Antje nu. Zij is zijn meisje en dat zal hij ook tegen iedereen zeggen die het maar horen wil.

Ze haasten zich naar het huis van Antje en na een vluchtig afscheid gaat hij op een holletje naar De Rietkant om zich snel om te kleden en de koeien op te halen.

Het blijft 's avonds al weer wat langer licht en na het eten besluit Hein diezelfde avond eens te gaan kijken hoe het met zijn vriend Lou, Chantal en Loesje gaat.

„Dak eing," begroet Chantal hem en Hein begrijpt dat dat zoveel als 'dag Hein' moet voorstellen. Hij buigt dan ook en begroet ook haar met 'dag Chantal'. Ze zit in de rieten stoel die Lou altijd voor zichzelf reserveerde, maar die hij nu ken- nelijk heeft afgestaan aan zijn logee. Ze heeft de kleine

Loesje op haar schoot en prevelt woordjes als 'ma petite, ma chérie', en Hein neemt aan dat het koosnaampjes zijn, maar hij verstaat ze niet. „Lief," zegt ze dan en dat verstaat hij wel. Hij knikt en knielt bij haar neer en neemt de poezelige handjes van Loesje in zijn grote knuist.

„Wat een schatje, hè Lou?" fluistert hij.

„Wie van de twee bedoel je?" lacht Lou. Nu Chantal weer op de been is met schone kleurrijke kleren aan en haar gitzwarte haren opgestoken heeft, ontpopt ze zich tot een ware schoonheid.

„Allebei," speelt Hein het spel mee. Ook hij ziet wel hoe knap en jong Chantal is. „Een mooi kindje en een mooie moeder. Het komt jou vanzelf aanwaaien, Lou," lacht-ie.

„Steek jij er de draak maar mee; je mag ze allebei meenemen of heb jij genoeg aan één mooie vrouw, want die Antje waar jij mee scharrelt, mag er ook wel wezen."

„Dat weet ik, dat weet jij en dat weet ook Gijs Voorhuis."

„Wat heeft de boer van de Laakhoeve er nou mee te maken?"

„Daar werkt Antje of, liever gezegd, daar werkte ze, want ze is door de boerin met twee maanden loon naar huis gestuurd.

„Kon Gijs z'n poten soms niet thuishouden," slaat Lou de spijker op z'n kop en Hein knikt.

„Als ik naar m'n gemoed te werk ging, zou ik die schooier wel een pak op z'n donder willen geven, maar dan kan ik bij Dirk Ploeger ook m'n biezen wel pakken, want de grote boeren houden elkaar toch altijd de hand boven het hoofd."

„Zal ik hem eens een lesje gaan leren?" biedt Lou aan. Hij is al even verontwaardigd als Hein.

„Dan houd jij als schillenklant nog één adres over en dat is hoeve Buurma in De Tuit, Lou."

„Je hebt gelijk; ik dacht er even niet aan dat ik tegenwoordig voor een deel van mijn handel ook al afhankelijk ben van die rotboeren." Lou kijkt nijdig en Chantal ziet het.

„Tu te mets en colère? Boos?" vraagt ze, maar Lou schudt zijn hoofd.

„Niet op jou!" Hij wijst nogmaals op haar en schudt dan weer zijn hoofd, waarop Chantal al haar mooie witte tanden bloot lacht en hem blij aankijkt.

„Soms zit ze me aan te kijken en dan komt er een zorgelijke trek op haar gezicht, maar ze kan me niet duidelijk maken wat er in dat mooie koppie van haar omgaat. Nu ik kwaad kijk denkt ze kennelijk dat ik boos op haar ben."

„En dat ben je niet," concludeert Hein.

„Och nee. Zij kan er ook niks aan doen dat het zo gelopen is. Het zal je als vrouw maar gebeuren dat je vent er met je hele hebben en houwen vandoor gaat en je met een kind laat zitten in een land waarin je je niet verstaanbaar kan maken."

„Is die vent dan niet te achterhalen?"

„Moeilijk. Van de dokter heb ik gehoord dat ze niet eens weet hoe hij heet. Ze is in Frankrijk uit een tehuis weggelopen en met die Gaston meegegaan met alle gevolgen van dien. Ik laat haar dus maar even tot rust komen."

„Ik denk dat ze dat wel waardeert, Lou."

„Dat geloof ik ook, want nu ze weer op de been is probeert ze allerlei werkjes in huis te doen en ze heeft al twee keer voor me gekookt en nog lekker ook."

„Straks wil je haar niet meer kwijt," lacht Hein, maar Lou schudt zijn hoofd.

„Ik heb mijn vrijheid te lief, jongen. Maar om op jouw meisje terug te komen: Antje zit nu zonder werk, hè?"

„Ja, maar ze kan het even uitzingen, want, zoals ik al zei, heeft ze twee maanden loon meegekregen."

„Mevrouw Van Beusekom zoekt een nieuwe hulp in de huishouding, want haar huidige hulp, Cora, gaat trouwen. Misschien is dat wel iets voor Antje. Het is een aardig mens, maar dat weet jij ook, want jij bent er al enkele keren geweest."

„Ja, de eerste keer toen ik dat meisje van Polman uit het wak gered had en later nog een keer met Thea. Mevrouw

Hilde van Beusekom is inderdaad een erg aardige vrouw."

„Ik moet er morgen weer wat vis brengen, zal ik een goed woordje voor Antje doen?"

„Dat lijkt me goed, maar spreek nog niets definitiefs af, want ik weet natuurlijk niet hoe Antje er zelf over denkt."

„Dan zal ik haar naam niet noemen, maar zeggen dat ik een heel geschikt meisje voor haar weet."

Zo wordt het afgesproken en dan wil Hein vertrekken, maar Chantal houdt hem tegen. „Donnez-moi ta main," zegt ze en meteen grijpt ze zijn hand. Hein denkt dat ze met een handdruk afscheid wil nemen, maar Chantal schudt haar hoofd en dan komt Lou haar te hulp door Hein uit te leggen dat ze hem de hand wil lezen. „Van dokter Risseeuw heb ik begrepen dat zij dat op tournee met die Gaston ook altijd deed."

„Nou, voor mijn part," lacht Hein en hij legt zijn grote knuist in het slanke handje van Chantal. Zij keert de hand dan om met de handpalm naar boven en gaat met haar vingers over zijn handlijnen. Dan kijkt ze hem met haar mooie donkere ogen indringend aan en knikt. „Tu est tombé amoureux d'une très belle fille." Ze maakt kusbewegingen en vervolgens beeldt ze een mooi gevormd meisje uit, waaruit Hein afleidt dat ze het over liefde heeft. Hij knikt dus maar, want hij is verliefd op een heel mooi meisje. Ze babbelt maar door in haar taaltje en kijkt afwisselend bezorgd en blij, maar Hein snapt absoluut niet waar ze het over heeft, dus neemt hij maar afscheid en belooft Lou de volgende avond nog even terug te zullen komen om te horen hoe mevrouw Van Beusekom gereageerd heeft.

En als hij de volgende dag bij Lou komt hoort hij dat mevrouw positief gereageerd heeft en graag een gesprek wil hebben met het meisje dat hij haar aanbeveelt.

„Hein! Wat een verrassing!" Antje slaat haar armen om de nek van haar liefste en kust hem hartstochtelijk op zijn mond. „Leuk dat je even langskomt, kom binnen!"

„Ik heb liever dat je iets aantrekt en even een ommetje met

me maakt, want ik heb iets met je te bespreken."
„Mogen mijn ouders het niet horen?"
„Pas als jij iets voelt voor hetgeen ik je te vertellen heb."
„Je maakt me nieuwsgierig; wacht even." Vlug pakt ze een
omslagdoek en gaat met hem mee en dan vertelt Hein waar
hij met Lou Otten over gesproken heeft en vraagt of zij iets
voor een betrekking bij mevrouw Van Beusekom voelt.
„Voor zover ik haar ken is het een heel lief mens," zegt-ie
nog, maar dan ziet hij dat Antje een beetje bedenkelijk kijkt
en vraagt dan of ze er geen zin in heeft.
„Ja, eigenlijk wel, maar daar woont toch ook die Thea."
Antje heeft nooit iets met de dochter van die rijke mensen
te maken gehad, maar als zij er werkt komt Hein haar
natuurlijk vaak afhalen en dan ziet hij telkens die Thea en
dat vindt ze niet zo leuk.
„Wonen is te veel gezegd, de meeste tijd zit ze op een inter
nationale school in Zwitserland, maar wat is je probleem?"
„Nou ja, ik... eh bedoel..."
Omdat ze niet uit haar woorden kan komen voelt Hein wel
aan wat eraan schort. Ze ziet Thea waarschijnlijk nog steeds
als een soort rivale en hij realiseert zich dan dat zijn verze-
kering dat hij niets meer met dat meisje heeft, haar kennelijk toch nog niet helemaal overtuigd heeft. Hij verzekert
haar daarom nogmaals dat hij Thea best een aardig meisje
vindt, maar dat hij niet van haar houdt. „En van jou houd ik
zielsveel, lieve schat," zegt-ie dus nog maar eens.
„Weet ik wel, jongen." En dan beantwoordt ze zijn kus heel
innig en verzekert hem dat zij de betrekking in De Meerkoet
graag zal aannemen en dus gauw een afspraak met
mevrouw Van Beusekom zal maken. „Ga maar even mee
naar binnen, dan kunnen we het meteen aan mijn ouders
vertellen."

„Ik heb misschien algauw weer werk," valt Antje min of
meer met de deur in huis. En dan vertelt ze wat ze met Hein
besproken heeft.

„Maar die deftigheid is toch niks voor jou, meissie," reageert vader Cor, maar Antje is het helemaal niet met hem eens.

„Volgens Hein is die mevrouw Van Beusekom een eenvoudig en aardig mens, hè Hein?" En Hein beaamt het en vertelt dan over zijn ervaringen met het drenkelingetje dat hij nog niet zo lang geleden onder het ijs vandaan gehaald heeft.

„Alles tot je dienst, Hein, maar ik wil liever weten hoe die rijke kerel, die Johan van Beusekom, is. Antje heeft een nare ervaring met een rijke boer gehad en misschien is die rijke industrieel nog een haartje erger." Cor Bennink is gek op zijn oudste dochter en het spijt hem dat hij die rotboer niet te grazen heeft kunnen nemen, want van de boeren is hij afhankelijk. Ook van rijke fabrieksdirecteuren?

„Die Johan van Beusekom lijkt me een erg fatsoenlijke kerel, Bennink," zegt Hein.

„Dat hoop ik. Als ik een boer in elkaar sla kost het mij mijn baan, maar van een rijke directeur ben ik niet afhankelijk."

„Als die Van Beusekom me te na komt zal ik zeggen dat ik een sterke vader heb, hoor!" lacht Antje.

„Ik sla hem tot moes als-ie z'n poten niet thuis kan houden," zegt Cor strijdlustig en dan moet moeder Toos hem een beetje afremmen en ligt Hein krom van het lachen.

„Mijn naam is Antje Bennink en ik kom voor een gesprek met mevrouw Van Beusekom," zegt Antje als op haar bellen de deur van villa De Meerkoet wordt geopend door een dienstbode. „Heb je gehoord dat mevrouw een nieuwe dienstbode zoekt?" vraagt het meisje, dat Cora blijkt te heten. En als Antje knikt vertelt ze dat zij, Antje, als ze aangenomen wordt, in haar plaats komt omdat ze gaat trouwen.

„Wacht hier even dan zal ik je aandienen bij mevrouw." Antje gaat zolang op een mooi antiek bankje in de grote hal zitten. Alles in deze kapitale villa is anders dan bij haar thuis en bij boer Voorhuis. Ook de hulp ziet er anders uit dan de meiden bij de boeren. Cora heeft een stemmig zwart jurkje aan met een schortje voor en op haar hoofd draagt zij een wit kanten mutsje. Zij is gewend op klompen te lopen, maar als ze door mevrouw aangenomen wordt, zal ze rijglaarsjes aan moeten, want die draagt Cora ook.

„Ik ben mevrouw Van Beusekom en van Cora hoor ik dat jij Antje Bennink heet. Meneer Otten heeft mij een meisje aanbevolen; heeft hij je gestuurd?"

„Niet Lou Otten zelf, maar mijn vrijer Hein Buurma vertelde mij dat Lou met u over mij gesproken heeft."

„Wacht eens, je zegt Hein Buurma; is dat niet de jongen die hier de afgelopen winter met een drenkelingetje dat hij uit een wak gered had, gekomen is?"

„Ja, dat is hem, mevrouw. Er stonden al mensen om het wak toen hij er aankwam, maar niemand deed iets. Hein bedacht zich geen moment en dook meteen het water in. Hij is heel moedig, hoor!"

„Dat geloof ik graag." Hilde van Beusekom moet glimlachen om de spontane reactie van het meisje dat het kennelijk zwaar te pakken heeft van die jongen. Vreemd vindt ze dat niet, want zelfs Thea dweepte met hem en zelf vindt ze hem ook een aantrekkelijke jongeman. Geen partij voor Thea, maar dit mooie meisje en Hein vormen zeker een knap stel. Aandoenlijk die prille liefde van het meisje dat zelfs licht bloost als ze het over haar 'held' heeft. Het is lang geleden dat ook zij verliefd werd op Johan van Beusekom. Nu, na meer dan een kwarteeuw getrouwd te zijn, is die liefde veranderd in een sleur. Johan was een slanke jongeman toen ze hem leerde kennen, maar nu is hij pafferig dik en zit het liefst tot laat in de avond in zijn kantoor met een glas cognac, een dikke sigaar en een stapel zakelijke documenten. Als hij in bed komt hangt de lucht van drank en sigarenrook nog om hem heen en keert ze hem maar vlug de rug toe. In de eerste jaren na haar huwelijk met Johan was hij vaak weg voor zaken, maar toen had ze haar kinderen Gerard en Thea om zich heen. Nu heeft Gerard een studentenkamer in Leiden en zit Thea op een internationale school in Zwitserland.

„Had je het niet meer naar je zin in je betrekking, Antje?" vraagt ze en ze kijkt dan een beetje vreemd op als Antje een kleur krijgt.

„Ik werkte bij een boer hier in het dorp, maar het was beter dat ik daar wegging, mevrouw."

„Mag ik ook weten waarom dat beter was, Antje?" Hilde heeft al zoveel sympathie voor het meisje opgevat dat ze haar zeker wil aannemen, maar voordat ze dat doet wil ze toch wel weten waarom ze van betrekking wil veranderen.

„Het is een beetje moeilijk, mevrouw; ik weet niet hoe ik het zeggen moet." De blos op haar wangen wordt feller waardoor ze een nog knapper gezichtje krijgt. Zo'n knap meisje riskeert het lastiggevallen te worden in een betrekking en dat zou met Antje ook wel eens het geval kunnen zijn. Ze vraagt het en Antje buigt haar hoofd en knikt. „De boer kon zijn handen niet thuishouden, mevrouw."

„Erg vervelend voor je, Antje. Je hebt gelijk dat je je biezen gepakt hebt. Eigenlijk zou je de veldwachter ervan in kennis moeten stellen, maar dat zal hier in het dorp niet gebruikelijk zijn veronderstel ik."

„De boer zou alles ontkennen, mevrouw."

„Daar ben ik ook bang voor. Hier loop je geen risico, hoor!"

„Ben ik aangenomen, mevrouw?"

„Als we het eens worden over je loon en de verlofregeling wel. Ik denk dat wij het samen erg goed zullen kunnen vinden, Antje." Aan dat laatste twijfelt Antje niet, want ze vindt Hilde van Beusekom erg aardig. Ook over het geld en de vrije dagen worden ze het snel eens.

Als ze naar huis loopt is ze dan ook in een opperbeste stemming. Ze heeft nog een binnenpretje als ze denkt aan de uitspraak van mevrouw dat zij in deze betrekking geen risico loopt door iemand lastiggevallen te worden. Die iemand kan alleen meneer Van Beusekom zijn en het is hem maar geraden ook zijn handen thuis te houden, want anders wordt hij door haar vader 'tot moes geslagen'.

Villa De Meerkoet ligt op zo'n vijftig meter van het meer en een grindpad leidt van de woning naar een botenhuis, waarin een zeilboot en een roeiboot liggen. Vanuit de villa heeft men een prachtig uitzicht over het meer en de achterkant wordt aan het oog onttrokken door een groot stuk bos dat eigendom is van Van Beusekom. Er zijn enkele wandelpaden met hier en daar een bankje, waarop de gasten, die veelvuldig op bezoek komen bij de familie, graag wat uitblazen na vermoeiende zakelijke gesprekken of feesten. Aan een zijkant van de villa ligt nog een grote lap grond braak en omdat dat stuk grond door het aangrenzende bos en de raamloze zijkant van de villa aan het oog onttrokken wordt, is het verwilderd. Niemand bekommert zich erom en dat is eigenlijk zonde, want het is vruchtbare grond.

Dat vindt Hein Buurma ook als hij met Antje een ommetje maakt. Antje heeft inmiddels haar draai in huize De Meerkoet gevonden en Hein wipt af en toe 's avonds aan om samen met zijn meisje te genieten van de prachtige natuur en van elkaar.

Op een van die avonden ontmoet hij mevrouw Van Beusekom en ze raken in gesprek. Dan waagt hij het te vragen wat mevrouw of haar man voorheeft met dat stuk grond. „Dat weet ik niet, beste jongen," lacht ze. „Voorlopig niks. Heb je belangstelling?"

„Ja, dat heb ik zeker."

„Wil je er soms een huis op laten bouwen voor jou en Antje?" Ze moet om haar eigen vraag lachen.

„Nee, dat zou ik niet kunnen betalen en u zou mij ook niet als naaste buur willen, denk ik."

„Ik kan me slechtere buren voorstellen, hoor! Maar wat wil je ermee?"

„De tuin omspitten en er aardappelen en groenten op kweken."

„Voor eigen gebruik of voor de verkoop?"

„Voor beide. Voor mezelf heb ik niks nodig, maar wel voor mijn ouders, voor de ouders van Antje en voor Lou Otten.

Het is zo'n groot stuk dat er dan ook nog genoeg overblijft om te verkopen."

„Dan word ik je eerste klant, Hein, want verse groente vind ik heerlijk."

„U krijgt het uiteraard voor niets," biedt Hein gul aan en Antje denkt dan dat er ook nog wel een hoekje overblijft voor snijbloemen.

„Dat klinkt allemaal goed, Hein. Je gaat je gang maar, hoor!" En met die toestemming is Hein heel blij. Blij in de eerste plaats dat hij altijd een excuus heeft om 's avonds na het werk op de hoeve in de buurt van Antje te zijn, maar ook om de mensen om wie hij geeft, te kunnen helpen met groenten en aardappelen. Als Lou dan als tegenprestatie bereid is om de overtollige groenten uit te venten als hij schillen ophaalt, dan snijdt het mes aan twee kanten.

De eerste weken na de toestemming van mevrouw Van Beusekom is Hein elke avond in zijn tuin naast de grote villa te vinden. Hij mag van Dirk Ploeger enkele vrachten mest naar het stuk grond rijden en daarna spit hij mest en onkruid onder, zodat het braakliggende stuk algauw is omgetoverd in een mooie vierkante tuin. Eenmaal omgespit lijkt het stuk nog wel groter dan de woestenij die hij er eerder aantrof. De tijd van het jaar heeft hij mee, want er kan volop gezaaid en gepoot worden. Als enkele weken later het zaaigoed opkomt, slaat mevrouw Van Beusekom haar handen ineen van verbazing als ze even komt kijken hoe de werkzaamheden vorderen. „Jij laat er letterlijk en figuurlijk geen gras over groeien, Hein," zegt ze bewonderend als ze de keurig aangeharkte paden en bedden ziet.

„Ja, ik probeer het goed bij te houden," reageert Hein. Hij zegt er niet bij dat hij soms werk in zijn tuin zoekt om maar weer even bij Antje te zijn. Het is die avond mooi zacht weer en als mevrouw weg is komt Antje een kijkje nemen. Ook zij is blij dat ze haar lieve jongen nu zo vaak ziet en als hij het werk laat rusten gaan ze samen wat kuieren in het park van de villa. Op een van de bankjes gaan ze zitten en dan worden ze door niemand gestoord als ze willen kussen en knuffelen. „Mevrouw kwam even kijken en sloeg haar handen ineen van verbazing en ik kreeg complimentjes van haar," zegt Hein trots.

„Die heb je dan ook wel verdiend, lieverd," zegt Antje en ze drukt haar volle lippen op zijn mond. Lang blijven ze zo zitten en fluisteren elkaar woordjes toe die zoveel verliefde stelletjes elkaar al eeuwenlang toefluisteren. Als Hein daarna zijn Antje aan de deur van de villa afgeleverd heeft, loopt hij nog even naar zijn tuin en blijft er in gedachten verzonken staan. Als hij zijn ogen sluit kan hij zich voorstellen dat hij de eigenaar is van de grote villa, het botenhuis met de boten, het park eromheen en de tuin. Binnen wacht zijn vrouw Antje die zich omringt met luxe en niets anders te doen heeft dan orders uitdelen aan het personeel. Maar als hij zijn ogen weer opent en naar zijn boerenkiel en klompen kijkt, beseft hij dat hij maar een armzalige boerenknecht is. „Je hebt een aardje naar je vaartje," zegt zijn moeder vaak als hij weer eens doordraaft over zijn onhaalbare toekomstplannen. Hij weet dat zijn vader ook altijd hogerop wilde en voor een klein deel is hem dat door toeval nog gelukt ook. Maar hij zou met enkele koeien, wat varkens en kleinvee geen genoegen nemen. Een villa hoeft-ie niet, maar een hoeve met alles erop en eraan is toch wel zijn droomwens. Dat die droomwens in een veel bescheidener vorm al spoedig uit zal komen, kan hij dan nog niet vermoeden.

Hoe het kon gebeuren weet Dirk Ploeger zelf nog nauwelijks, maar het is gebeurd en wel op de kaasmarkt in de stad. Daar was hij met een brik vol kazen aangekomen en klom van de bok af om het zeil op te lichten. Op dat moment schrok het paard ergens van en schoot met brik en al een eind naar voren. Dirk kwam onder de wielen van de brik terecht en hoorde, voordat hij het bewustzijn verloor, zijn botten kraken. Hulp was snel ter plaatse en in het ziekenhuis constateerden de artsen dat hij zijn linkerbeen op twee plaatsen en zijn heup gebroken had. Wekenlang moest hij in het ziekenhuis blijven en was Hein de aangewezen man om, samen met een ingehuurde losse knecht, het bedrijf draaiende te houden. Hij heeft veel aan zijn hoofd en af en toe moet de vader van Antje hem 's avonds helpen om zijn tuin bij de villa op orde te houden. Blij is-ie dan ook als de boer naar huis mag. Werken kan die nog lang niet, maar hij ligt in een ledikant in de opkamer en hij kan Hein dus desgevraagd alle raad geven die hij nodig heeft. Maar naarmate het genezingsproces van de boer langer duurt, heeft Hein steeds minder raad nodig. Hij voelt zich zo langzamerhand - en niet ten onrechte - de boer. Boer van De Rietkant, de kapitale hoeve met veel land en vee. Soms kan hij, net als een poos geleden bij de villa, wegdromen en zich voorstellen dat hij hier echt de boer is. Het lijkt er al een beetje op, want Dirk Ploeger geeft hem steeds meer de vrije hand.

„Ik kom eens kijken hoe ome Dirk het maakt, tante Agaat," zegt Mientje van Meurs als ze op De Rietkant haar belangstelling komt tonen.
„Daar doe je goed aan, Mientje," zegt de boerin hartelijk. Ze houdt van het zwakbegaafde dochtertje van haar broer Teun. Ze trekt zich het lot van haar nichtje aan en bemoedert haar bij tijd en wijle een beetje. Ze moet glimlachen als Mientje ook Hein enthousiast begroet. Met Hein kan ze het goed vinden en die genegenheid is wederzijds. Ze wijkt in haar gedragingen wat af van andere meisjes van haar leeftijd, maar hij vindt haar aardig en hartelijk. Hij weet dat zij haar nood vaak bij haar tante Agaat klaagt, want de boerin praat er soms met hem over. „De mensen gaan eraan voorbij dat Mientje ook haar eergevoel heeft en erg verdrietig is als ze hoort dat de mensen haar 'malle Mientje' noemen," zei ze laatst. „Jij doet nooit mee aan die plagerijen en daarom vindt ze jou zo aardig."

Op een vrijdag is Mientje ook op de hoeve en sinds de boer aan zijn bed gekluisterd is, gaat Hein met de brik naar de markt. Af en toe moet hij kazen afleveren en als hij op de veemarkt is moet hij zijn ogen de kost geven, heeft de boer hem gezegd. Als er mooi jong vee te koop is, dan moet hij maar overleggen met de zwager van Dirk en vader van Mientje, Teun van Meurs.

„Ga jij maar met me mee naar de markt, want als ik mooi jong vee zie, dan kun jij je vader opzoeken," zegt Hein en Mientje is in de wolken. Ze heeft plotseling een belangrijke taak te vervullen en dat streelt in niet geringe mate haar eergevoel.

„We lijken wel boer en boerin," zegt ze met een glunderend gezicht als ze naast hem op de bok van de brik naar de markt rijdt. Hein lacht maar met haar mee. Hij gunt haar het pleziertje graag. Ja, boer zou hij wel willen zijn, maar met Mientje als boerin ligt niet erg voor de hand.

Op de markt blijft Mientje in de buurt van Hein en ook zij geeft haar ogen de kost, want, hoewel er een steekje aan haar los is, ziet ze wel het verschil tussen goed en slecht vee.

„Dat zijn mooie pinken," zegt ze zó hard dat de koopman, die erbij staat, het hoort en er meteen op inhaakt.

„Jij hebt verstand van pinken, vrouwtje," prijst hij Mientje die zeker niet ongevoelig is voor complimentjes, want die krijgt ze niet zo vaak. Maar als Hein zijn hoofd schudt en zegt dat de pinken aan de magere kant zijn en dat er beter vee op de markt te koop is, knikt Mientje toch maar gauw dat ze het met de spreker eens is. Dit tot ongenoegen van de koopman.

„Laat jij je door die slungel de les lezen, juffrouw?" vraagt-ie met een nijdige blik in de richting van Hein.

„Hein is geen slungel," protesteert Mientje, maar de koopman is het daar niet mee eens. Andere boeren afkomstig uit hun dorp blijven staan, want ze zijn benieuwd hoe dat woordenspel afloopt, maar Hein wacht het niet af en trekt Mientje mee.

173

„Vee dat we misschien willen kopen, moet je niet te veel roemen, Mientje, want dat drijft de prijs op," waarschuwt hij haar voorzichtig. Mientje begrijpt het en prevelt met een rood hoofd verontschuldigingen, maar Hein stelt haar gerust en zegt dat er niets ernstigs gebeurd is. Ze houdt zich vervolgens angstvallig stil tot Hein een stel prachtige pinken ziet en haar in het oor fluistert dat ze haar vader moet gaan zoeken.

„Wil je die scharminkels kopen?" roept ze hard. Deze keer zal het haar niet meer gebeuren dat ze het vee aanprijst, maar hoewel Mientje de lachers op haar hand heeft, weet Hein zich geen raad. Hij stuurt Mientje maar gauw naar haar vader en intussen moet hij de koopman en de omstanders een verklaring geven over de nogal merkwaardige opmerking van het meisje. Dan zegt-ie maar dat ze het als een grapje bedoeld heeft, maar hij is toch blij als hij Teun van Meurs ziet komen.

„Zijn het nou goeie of slechte pinken die je wil kopen, Hein?" vraagt Teun. „Uit het verhaal van Mientje word ik niet veel wijzer." Met enkele woorden brengt Hein de boer op de hoogte van wat er aan voorafgegaan is en als vader van Mientje is Teun de eerste die het begrijpt en hij heeft ook grote waardering voor de houding van Hein jegens zijn zorgenkind. En zijn waardering houdt daar niet bij op, want als hij de pinken ziet en Hein er een lage prijs voor bedingt, prijst hij zijn koopmanschap.

Hein heeft voldoende geld meegekregen en rekent zelf af in het marktcafé. De pinken zullen met de veeschuit naar De Rietkant worden vervoerd.

Terug op de hoeve heeft Mientje een enthousiast verhaal over haar uitstapje en Hein brengt een iets zakelijker verslag uit aan de boer.

„Dus Teun vindt het ook beste pinken," concludeert Dirk Ploeger en Hein knikt, maar Mientje heeft meer naar de uitlatingen van haar vader over Hein geluisterd dan naar die over het aangekochte vee.

„Pa vindt Hein een beste koopman," zegt ze, Hein met volle bewondering aankijkend.

„Helaas zal ik ze zelf nog niet kunnen bekijken, maar als Teun het mooie pinken vindt en jou een beste koopman dan zit het wel goed. Mijn complimenten, hoor!"

De bewondering van Mientje vindt Hein aandoenlijk, maar met de complimenten van de boer is-ie nog meer in z'n schik.

Het genezingsproces van Dirk Ploeger duurt veel langer dan de doktoren voorspeld hebben. Aan het begin van de zomer zijn er complicaties opgetreden, zodat Dirk weer voor enkele weken in het ziekenhuis moet worden opgenomen. De gezinsleden missen vader Dirk, maar voor de gang van zaken op de hoeve maakt het niet meer uit of Dirk er nu wel of niet is. Met zijn losse knecht redt Hein zich uitstekend en hij voelt zich als een vis in het water. Hij is eigen baas en deelt het werk naar eigen inzicht in. De avond houdt hij voor zichzelf, want in zijn tuin is de oogsttijd aangebroken en wat geoogst wordt kan grotendeels door Lou worden uitgevent, omdat zowel zijn eigen ouders als die van Antje op dat moment over voldoende groenten uit hun eigen tuinen beschikken. Antje kan hij af en toe met een grote bos bloemen verblijden en dan moet hij het werk even laten rusten om zich samen met haar terug te trekken in het park rondom de villa. De bankjes staan in dit jaargetijde verscholen in het dichte struikgewas en ze kunnen dus ongezien knuffelen en kussen en dat doen ze naar hartelust.

„Bedankt voor de mooie bloemen, lieverd," zegt Antje. Het is warm weer en ze heeft een luchtig bloesje aan, waarvan ze de bovenste knoopjes heeft losgemaakt. Als Hein haar op zijn knie trekt en haar op haar rode mondje kust, voelt hij de zachte warmte van haar lichaam. Zij heeft een prachtig figuurtje en hij kan dan niet nalaten zijn hand in haar bloesje te steken. De tepels zwellen op haar strakke jonge borsten als zij zijn aanraking voelt, maar toch duwt zij zijn hand weg. „Niet doen, lieverd," fluistert ze. Ze merkt dat hij opgewonden raakt en met haar is het niet anders, maar ze moeten voorzichtig zijn. Een 'motje' heeft ze in het dorp vaak genoeg meegemaakt en hoewel ze met heel haar jonge lijf verlangt naar een innig samenzijn met haar geliefde, wil ze toch niet dat dat haar en Hein overkomt. De schande voor henzelf en de wederzijdse ouders is dan te groot.

„Jij bent ook zo mooi en zo lief," zucht Hein, aarzelend gevolg gevend aan haar verzoek, maar zij neemt zijn gezicht in haar beide handen en terwijl ze hem kust vraagt ze hem geduld te hebben.

„We hebben nog niet zo lang verkering, jongen, en aan trouwen zijn we dus nog lang niet toe. Als je nu al je geduld verliest, hoe moet het dan straks."

„Zodra ik genoeg geld heb om iets voor onszelf te kopen gaan we trouwen, lieveling," zegt-ie zacht, maar Antje kijkt hem ongelovig aan.

„Wat noem jij dan genoeg geld, lieverd?"

„Nou, de groenten en aardappelen brengen een aardig centje op, hoor! En als het nodig is kunnen we best wat lenen. Het vak van boer heb ik inmiddels onder de knie, nu nog een hoeve met wat vee."

„Loop jij niet een beetje te hard van stapel, jongen?"

„Je lijkt mijn moeder wel, die vindt dat ik, net als pa vroeger, luchtkastelen aan het bouwen ben. Pa heeft ooit geluk gehad doordat hij schijnbaar waardeloos porselein voor veel geld kon verkopen. Wie weet valt mij ook wel zo'n gelukje ten deel."

„Wie weet, maar reken er niet te hard op!" Antje blijkt meer realiteitszin te hebben dan haar geliefde. Ze nemen innig afscheid en Hein zegt dan dat hij de volgende avond niet komt, want dat hij dan 'een zakelijke bespreking' met zijn 'medefirmant in aardappelen en groenten', de heer Lourens Otten, heeft. Antje schudt haar hoofd over zoveel fantasie, maar haar liefde voor Hein Buurma is er niet minder om.

HOOFDSTUK 9

Wat geen van de dorpelingen voor mogelijk heeft gehouden is gebeurd. Lou Otten, alias de Kraai, heeft tot dusverre geen enkele moeite gedaan om het Franse vrouwtje dat maanden geleden in zijn huis bevallen is van een meisje, elders onder te brengen. De mannelijke bevolking is jaloers omdat Lou, zonder getrouwd te zijn, met zo'n mooi exotisch vrouwtje samenleeft en de vrouwen, vooral de oude klets- tantes met Jans Faber voorop, vinden het een schande dat hij dag en nacht met haar onder één dak vertoeft. Van diver- se kanten is er bij pastoor Houtman op aangedrongen een einde aan deze schandelijke vertoning te maken, maar als hij aan de klagende vrouwen vraagt of iemand bereid is de vrouw met haar kindje op te nemen, krijgt hij nul op het rekest. Lou zelf lacht maar eens om alle commotie. Als hij af en toe op nachtelijke strooptocht gaat, vindt hij bij thuis- komst zijn plaatsje in het bed verwarmd en voelt hij een paar zachte armen om zijn nek als hij bij Chantal onder de dekens kruipt. Ze zijn gek op elkaar en beiden zijn ze ook gek op de kleine Loesje, die groeit als kool en kraait van ple- zier als Lou haar in zijn sterke armen wiegt. Elke dag ruimt Lou een uurtje in om Chantal wat Nederlandse woordjes te leren en Hein, die al enkele keren zo'n les heeft bijgewoond, heeft zich even zovele keren slap gelachen om de uitspraak van Chantal, maar hij merkt wel dat ze serieus haar best doet.
Was het in het huisje van Lou tot voor kort een ordeloze bende, nu ziet alles er keurig uit. Chantal doet ook bood- schappen in het dorp en als ze moeite heeft om de Nederlandse namen van de boodschappen te onthouden, schrijft Lou ze op een briefje. Chantal heeft echter één groot probleem, ze verveelt zich nogal. Haar ruziënde metgezel en de vader van haar kindje mist ze niet, maar wel de afwisse- ling van het reizen door de landen van Europa. Ze springt dan ook een gat in de lucht als Lou haar vertelt dat er bin-

nenkort kermis is in het dorp. „Fête foraine et bal public," juicht ze en meteen schopt ze haar schoentjes uit en kronkelt ze zich in een nogal wulpse dans. Ze steekt haar borst vooruit en tilt haar rok met beide handen op en zo tolt ze voor de verbaasde ogen van Lou rond over de vloer. Dan pakt ze hem beet en wil hem meevoeren in een wilde dans, maar Lou bakt er helemaal niets van. Met stijve passen probeert hij haar bij te houden, maar het lukt niet. Lachend gaat hij zitten en probeert haar duidelijk te maken dat hij nog nooit van zijn leven gedanst heeft. Dan nestelt zij zich als een behaagziek poesje op zijn knie en kijkt hem teleurgesteld aan. „Ik jou leren… leçon de danse," zegt ze, maar Lou schudt zijn hoofd. Wel beantwoordt hij haar hartstochtelijke kus, maar dan duwt hij haar vlug van zijn knie, want haar wulpse dans heeft hem opgewonden en voor 'liefdesspelletjes' heeft hij nu geen tijd.

En dan heeft de jaarlijkse kermis het dorp weer in haar greep. Vooral de jeugd is opgewonden en ze vermaken zich op de dag zelf tot ze die avond moe maar voldaan in hun bed rollen. Voor de groten begint dan het feest pas echt en het café van Jaap Polman loopt dan ook steeds voller. De schuifdeuren die het café van het zaaltje erachter scheiden, staan wijd open en Jaap heeft een harmonicaspeler uit de stad laten komen om het feest op te vrolijken. Zijn ervaring is dat er op muziek vrolijk gedanst en gehost wordt en dat komt zijn bieromzet ten goede. De kosten van de muzikant verdient hij zodoende dubbel en dwars terug. Tot de feestvierders behoren Hein met Antje en Lou met Chantal.
De stemming zit er al meteen goed in en als de muziek inzet trekken de jongemannen hun meisjes op de vloer en hossen of dansen al naar gelang hun voorkeur.
Hoewel Lou aanvankelijk heeft bedankt voor de danslessen van Chantal, is hij uiteindelijk voor haar aandringen gezwicht en probeert nu letterlijk zijn beste beentje voor te zetten. Het lukt nog aardig ook, maar af en toe laat Chantal

hem los en tolt in haar eentje over de vloer. De andere gasten maken plaats voor haar en Hein, die even uitrust, moet lachen om de gruizige blikken van de jongemannen. Ze willen allemaal met de verleidelijke Française dansen, maar Lou laat dat niet toe. Toch moet hij haar even laten gaan als de muzikant een stoelendans organiseert. Deze trommelt een even aantal mannen en vrouwen op en plaatst twee rijen stoelen met de rugleuningen tegen elkaar en dan begint het spel. Als de muziek stopt moeten de vrouwen en meisjes zich vlug op een knie laten zakken en de mannen helpen hen dan een handje en dat gaat niet steeds even zachtzinnig. Vooral de mooie meisjes, met Chantal als verleidelijk hoogtepunt, worden met graagte op de knieën getrokken. Na iedere stop wordt er een stoel weggehaald en valt er ook een stel af. Hein en Antje vallen ergens halverwege af, maar Lou en Chantal houden het nog iets langer vol. Een al wat aangeschoten boerenzoon wint uiteindelijk het spel en mag van de muzikant als prijs een wens doen. Daar hoeft Berend, zoals de pummel heet, niet lang over na te denken. Hij wijst naar Chantal en zegt dat hij met haar wil dansen. Chantal lacht haar mooie witte tanden bloot en geeft de knaap zijn zin, maar deze heeft het dansen zeker niet uitgevonden en schuifelt op de langzame muziek onhandig met haar over de vloer. Hij knelt haar stevig in zijn armen en, omdat hij al de nodige glazen bier achter de knopen heeft, staat hij nogal onvast op zijn benen en tot twee keer toe trapt hij met zijn logge poten op de sierlijke voetjes van Chantal. Zij geeft een gilletje van de pijn en rukt zich, onder het uiten van enkele Franse verwensingen, van hem los en gaat terug naar Lou. „Le lourdaud," moppert ze, haar pijnlijke voet wrijvend. Lou kijkt de lomperik met een vernietigende blik aan, maar deze is daar niet van onder de indruk, integendeel, hij voelt zich door 'die Franse griet' voor schut gezet. Met een verongelijkt gezicht gaat hij aan de bar zitten en laat zich nog maar eens een glas bier inschenken.

En dan komt Lientje, het dochtertje van Jaap Polman, de gelagkamer binnen met de boodschap dat Loesje huilt en waarschijnlijk honger heeft. Lou en Chantal hebben het kindje zolang aan de zorgen van het meisje toevertrouwd. Chantal maakt Lou dan duidelijk dat ze even naar achteren moet om de kleine de borst te geven, maar enkele aangeschoten kerels vinden dat ze het kind maar in de zaal moet voeden. „Ja, dat moet ze maar doen," vindt Berend, die nog steeds zit te mokken over zijn afgang op de dansvloer. „Dan krijgen wij ook eens te zien wat de Kraai elke dag ziet." Hij moet smakelijk om zijn eigen grap lachen, maar Lou vindt het minder leuk.

„Jij moet je stomme kop houwen, man!" briest-ie nijdig. „Als je niet tegen drank kan kun je beter opdonderen."

„Als er één is die moet opdonderen ben jij het wel, lapzwans," kaatst de jonge boer terug en meteen staat-ie op om Lou daar een handje bij te helpen. Dreigend komt hij op hem af, maar als hij vlakbij is gebeurt er iets onverwachts. Chantal heeft niet verstaan wat er gezegd is, maar aan de dreigende houding van de boer ziet zij dat hij kwaad in de zin heeft en wie aan Lou komt, komt aan haar. Ze vliegt als een furie overeind en met haar scherpe nagels krast ze hem tot bloedens toe over zijn gezicht. „Canaille, fiche le camp!" schreeuwt ze hem toe en ze kijkt hem met haar donkere ogen met een vernietigende blik aan. De jonge boer is helemaal overdonderd door de flitsende actie van Chantal en hij laat zich door Jaap Polman meetrekken naar het stoelenhok, waar hij door de vrouw van de waard verbonden wordt. Als hij terug in de zaal komt ziet hij er potsierlijk uit met de lap om zijn kop en dan kiest hij maar de wijste partij en doet wat Chantal hem al toegeschreeuwd heeft en 'rot op'.

Bertus Dongemans, de zoon van de bovenmeester, spreekt een aardig woordje Frans en raakt in gesprek met Chantal. Die is blij dat ze weer even haar eigen taal kan spreken en ze hoort dan ook waarom Lou zo kwaad werd op die jonge boer. Maar Berend is inmiddels vertrokken en als Hein er ook even bij komt zitten moet Bertus fungeren als tolk, want ook Hein heeft Chantal heel wat te vragen. Hij laat Antje even alleen en daardoor ziet Wim Pompe zijn kans schoon met haar te dansen. Hij heeft altijd al een oogje op de mooie Antje gehad en hij is jaloers op zijn kameraad, die haar heeft weten te strikken. Hein weet dat Wim gek is op Antje en het zint hem dan ook niet dat zij met hem danst. Ze hebben samen schik en dat zint hem al helemaal niet. Aan diens gezicht ziet Lou dat Hein de pest erin heeft en dan geeft hij Chantal een teken dat ze even met hem moet gaan dansen. Chantal doet het en dan is niet alleen Antje jaloers, maar ook de rest van zijn kameraden. Met dat mooie wilde diertje dat Lou in zijn netten gevangen heeft, mag niemand dansen, maar Hein kennelijk wel. Ze realiseren zich niet dat Hein en Chantal elkaar goed kennen en dat Chantal daarom nogal familiair met hem omgaat. Antje ziet het ook en het doet haar pijn. Als Wim haar weer op de dansvloer vraagt doet ze het en als de dans afgelopen is, gaat ze naast hem zitten.

Later schuift Hein wel weer een stoel bij, maar ze is de rest van de avond nogal stil. Dat blijft zo als hij haar na het feest naar De Meerkoet brengt.

Ze hebben al bijna een kilometer gelopen en er is nog geen woord gesproken. Dat is heel ongebruikelijk, want doorgaans komen ze woorden tekort om nieuwtjes of leuke ervaringen uit te wisselen. Maar nu is er kennelijk geen sprake van leuke ervaringen, integendeel, beiden zijn ze jaloers. Hein op Wim en Antje op Chantal. Het is heel onwezenlijk zo naast elkaar te lopen zonder iets te zeggen. Op een gegeven moment wordt het Antje dan ook te veel en barst ze in snikken uit.

„Wat is er nou toch, meissie?" schrikt Hein, maar Antje schudt haar hoofd.

„Dat zal jij niet weten!" zegt ze snikkend.

„Ik ben me van geen kwaad bewust, schatje," reageert Hein.

„Denk er dan maar eens goed over na; je laat mij zitten en gaat met Chantal dansen."

„Maar dat was nadat jij met Wim Pompe was gaan dansen, hoor!"

„Dat deed ik omdat jij mij liet zitten om te horen waar Bertus Dongemans het met Chantal over had. Dat vond je kennelijk belangrijker dan bij mij te blijven."

„Jij denkt toch niet dat ik iets heb met dat Franse vrouwtje, hè?"

„Ik weet niet meer wat ik moet denken," snikt Antje. Ze hebben het park bij de villa bereikt en Hein trekt zijn meisje op een bankje. Hij komt zo langzamerhand tot de ontdekking dat ze jaloers zijn op elkaar en hij zegt het ook.

„Toen ik je even alleen liet en jij gevraagd werd door Wim Pompe, van wie ik weet dat-ie al heel lang een oogje op je heeft, kreeg ik de pest in, Antje. En jij werd jaloers toen je mij in de armen van Chantal zag. We zijn jaloers op elkaar, lieveling."

„Hou je nog van me, Hein?" Het komt er bij Antje heel timide uit en Hein krijgt er een brok van in zijn keel. Vlug trekt hij zijn liefste op zijn knie en overlaadt haar betraande gezichtje met kleine innige kusjes.

„Ik hou van niemand anders dan van jou, lieve schat en jij houdt toch ook van mij?"

„Oh, lieverd… !" Wild drukt ze zich tegen hem aan en klemt haar lippen om de zijne. Ze wil dan niet meer praten maar kussen, strelen en gestreeld worden. Lang blijven ze zo zitten en nemen ten slotte innig afscheid en beloven elkaar nooit meer jaloers te zullen worden.

Later in bed kan Antje de slaap niet meteen vatten. Ze begrijpt zelf eigenlijk niet hoe ze zo jaloers kon worden, maar toen ze Hein in de armen van die wufte Franse vrouw zag, knapte er iets in haar. Het kon haar toen niet meer schelen dat Wim Pompe haar met een triomfantelijke blik in zijn ogen over de dansvloer leidde, maar ze besefte ook niet dat juist dat Hein erg jaloers maakte. Jaloers op elkaar! Ze schudt haar hoofd en valt uiteindelijk met een glimlach om haar mooie mondje in slaap.

De kermis is al een poos verleden tijd als op een dag Dirk Ploeger weer over het erf strompelt. Hij kan het nog niet zonder de steun van een stevige stok, maar het montert hem op dat hij niet langer aan zijn bed gekluisterd is en zich weer wat meer met de dagelijkse gang van zaken kan bemoeien. Van de doktoren heeft hij het advies gekregen flink te oefenen om zijn slappe spieren te verstevigen. En Dirk Ploeger blijkt een doorzetter te zijn, want nog geen maand later kan hij het heft weer helemaal in handen nemen en wordt Hein bedankt voor de bewezen diensten. „Mijn complimenten, Hein; je hebt je kranig geweerd en ik ben er wel zeker van dat weinig kerels van jouw leeftijd het je nadoen." Hein stelt de waardering van zijn baas op prijs, maar hij is toch niet echt blij, want hiermee is er een einde gekomen aan zijn 'grote gevoel'. Hij waande zich een tijdlang boer van De Rietkant, maar nu valt hij terug en is weer gewoon knecht. In niets onderscheidt hij zich meer van de andere boerenknechten en daggelders van het dorp. Dirk zal weer zelf met de brik naar de markt gaan en dan mag hij de varkenshokken uitmesten, waar-ie zo'n hekel aan heeft. Daarom droeg hij dat werk de laatste tijd steeds op aan de losse knecht die hij ingehuurd had. Thijs is de wacht weer aangezegd en moet elders aan de slag zien te komen. Zelf heeft-ie wel vast werk, maar hij wil meer. Zijn spaarpot groeit wel, want hij maakt niet veel op en de opbrengst van de groenten uit zijn grote tuin hoeft hij ook niet aan te spreken. Maar als hij ziet wat hij in een jaar tijd gespaard heeft, dan kan hij daar nog geen schaap, laat staan een koe voor kopen. Een hoeve met een veestapel kan hij helemaal wel vergeten. Nee, hij moet zich geen illusies maken en niet verder proberen te springen dan zijn polsstok lang is. Moeder heeft gelijk als ze hem dat voorhoudt, maar hij verrekt het gewoon het te accepteren.

De dood van Siem van Delft schokt de bevolking van het dorp aan de Wijde Laak. De trap van een paard maakte een einde aan het leven van de zesenveertigjarige knecht van Teun van Meurs van de Wilgenhoeve. Hij laat een vrouw en vijf kinderen achter. Al meer dan dertig jaar werkte Siem op de Wilgenhoeve en hij was de steun en toeverlaat van Teun die zelf de zeventig gepasseerd is en kampt met zijn gezondheid. Een hartkwaal, zegt dokter Risseeuw, en hij waarschuwt de boer geregeld het rustig aan te doen. De dood van zijn trouwe knecht is voor Teun niet alleen een tragisch persoonlijk verlies, maar ook voor zijn boerenbedrijf is het wegvallen van Siem niet minder dan een ramp. Boerin Jaan van Meurs treurt om de dood van de knecht en ze heeft medelijden met diens vrouw en kinderen, maar echt zorgen maakt ze zich om haar man. Van haar schoonzuster heeft ze gehoord dat Hein Buurma De Rietkant na het ongeluk van Dirk maandenlang zelfstandig geleid heeft en dat brengt haar op een idee. Ze weet dat Dirk weer op de been is en dus vraagt ze Teun bij Dirk langs te gaan om zijn hulp in te roepen. Ze maakt hem ook duidelijk aan welke hulp ze in eerste instantie denkt. Teun heeft er wat moeite mee, maar hij zwicht voor de angst van zijn vrouw dat hem iets overkomt als hij letterlijk en figuurlijk weer te veel hooi op zijn vork neemt.

„Ik kom je hulp inroepen, Dirk," valt Teun met de deur in huis als hij bij zijn zwager komt. „Je hebt natuurlijk gehoord welk vreselijk ongeluk Siem van Delft overkomen is."
„Dat heb ik, Teun. Je ziet maar dat een ongeluk in een klein hoekje zit en, zoals je weet, kan ik erover meepraten."
„Daarom kom ik bij jou, Dirk."
„Ik vat je niet, Teun."
„Dan zal ik het je uitleggen. Je weet dat Siem mijn steun en toeverlaat was. Alles kon ik aan hem overlaten en als er al iets te overleggen viel had hij aan een half woord genoeg."
„In dat opzicht leek hij op Hein Buurma."

„Precies wat je zegt, Dirk." Het komt Teun goed van pas dat zijn zwager over diens knecht begint. „Nu Siem weggevallen is maakt Jaan zich nogal zorgen om mijn gezondheid. Ze is bang dat ik te veel hooi op mijn vork zal nemen terwijl de dokter mij sterk aangeraden heeft het rustig aan te doen."

„Maar hoe kan ik je daarbij helpen, Teun?"

„Je had het over Hein Buurma en daar had Jaan het ook over. Ze weet, en ik weet het trouwens ook, dat Hein na jouw ongeluk je bedrijf op een voortreffelijke manier draaiende heeft weten te houden. Zo iemand heb ik nodig om Siem, waar jij Hein zelf al mee vergeleek, te vervangen."

„Dus als ik jou goed begrijp zou ik Hein als het ware aan jou moeten overdoen."

„Je moet niks en het is geen koehandel, Dirk, maar je hebt gelijk dat ik Hein graag als knecht zou willen hebben. Natuurlijk moet-ie het zelf willen; zo niet dan houdt alles op."

„Ik wil je graag helpen, Teun, maar ik moet er eerst met Agaat en dan met Hein over praten. Je hoort van me."

„Hé Teun! Ga je alweer weg? Erg hè, van Siem en voor jou ook, want je zult hem wel missen." Agaat Ploeger is een beetje verbaasd dat haar broer na het korte gesprek met haar man meteen weer weggaat.

„Dirk zal er wel met je over praten, Agaat. Ik moet gauw gaan, dag hoor!" En weg is Teun.

„Waar heb jij het met Teun over gehad, Dirk? Je hebt hem toch niet boos gemaakt?"

„Ik?"

„Ja, omdat-ie zo gauw weer naar huis gaat."

„Hij wil Hein van ons overnemen." En als Agaat haar voorhoofd fronst en hem niet-begrijpend aankijkt, vertelt Dirk wat er tussen hem en haar broer besproken is.

„Niet alleen Jaan maakt zich zorgen om Teun, maar ik ook, Dirk. Als Teun met een gewone knecht verder moet ben ik ook bang dat-ie zich te druk zal maken met alle gevolgen van dien. Hij is hartpatiënt, hoor!"

„Dat weet ik, maar ik wil niets doen zonder eerst met jou en vervolgens met Hein overlegd te hebben."

„Als Hein zelf naar de Wilgenhoeve wil, dan heb ik daar geen bezwaar tegen, Dirk, integendeel, het zou Jaan en mij een gerust gevoel geven."

„Ja, alles tot je dienst, maar wat moet ik dan?"

„Hein kon erg goed overweg met Thijs Goedemoed en ik heb gemerkt dat het een harde werker is. Probeer hem dan terug te halen op de hoeve."

„Dat is een goed idee; ik zal er met Hein over praten."

Op de Wilgenhoeve wordt Hein een goede week later met open armen ontvangen, vooral door Mientje. Toen hij hoorde om welke reden zijn komst naar die hoeve gewenst was, hoefde hij er geen minuut over na te denken. Ook Thijs Goedemoed bleek meteen bereid terug te keren naar De Rietkant, waar hij enkele maanden met plezier gewerkt heeft.

Hein krijgt al meteen een wat hogere status dan gebruikelijk voor een boerenknecht. Zijn slaapplaats wordt een kamertje boven het achterhuis en niet, wat normaal is, boven de stal.

„We waren nog maar net getrouwd toen Siem van Delft als vijftienjarig jongetje bij ons in dienst kwam," vertelt Teun. „Het zal na zoveel jaren voor ons even wennen zijn iemand anders op zijn stoel te zien, maar je bent van harte welkom, Hein."

„Ik hoef helemaal niet aan Hein te wennen, hoor!" zegt Mientje. „Bij tante Agaat heb ik je al zó vaak gezien, hè Hein?"

„Ja, wij zijn oude bekenden," lacht Hein. Mientje kent hij inderdaad goed, maar het boerenstel wat minder. Ze leiden in het dorp een nogal teruggetrokken leven en dat zal ook wel te maken hebben met de leeftijd en de gezondheid van de boer. Voordat hij naar de Wilgenhoeve ging heeft hij thuis eens gevraagd wat zijn ouders van het boerenstel weten en toen hoorde hij zo het een en ander.

Teun van Meurs trouwde Jaantje Lieshout toen hij veertig was. Jaantje was toen vijfentwintig. Een groot leeftijdsverschil, maar dat had een reden. Boerenzoons huiverden om met Jaantje te trouwen omdat zij een debiel zusje had. Teun was weduwnaar en had niet veel keus, dus was hij blij dat Jaantje hem haar jawoord gaf. Bij zijn jonggestorven eerste vrouw had hij geen kinderen en dus was hij blij toen Jaantje vrij kort na hun trouwen in verwachting raakte. Helaas werd het een miskraam en die teleurstelling moesten zij een goed jaar later nog een keer verwerken. Het leek erop dat Jaantje geen kinderen zou kunnen krijgen, maar ze raakte weer in verwachting en toen ging alles goed, althans tot en met de geboorte. Toen het meisje, dat zij Mientje noemden, wat ouder was, ontdekten ze dat haar verstandelijke vermogens beperkt waren. Nog is zij recht van lijf en leden, maar haar handicap is gebleven.

Maar voordat goed en wel duidelijk werd dat Mientje niet helemaal normaal was, raakte Jaan weer in verwachting en kwam er na negen maanden een gezonde zoon ter wereld. Die bleek niet alleen normaal, maar zelfs erg intelligent. Hij werd vernoemd naar zijn grootvader Leen van Meurs en groeide voorspoedig op. Door zijn wat oudere zusje Mientje werd hij vertroeteld en er groeide een innige band tussen die twee. Hoewel Teun en Jaan van Meurs er trots op waren dat hun zoon koos voor het priesterschap, gaf en geeft dat wel een praktisch probleem, want als oudste en enige zoon was hij eigenlijk voorbestemd zijn vader op te volgen als boer op de Wilgenhoeve. Met een normale dochter zou dat probleem gemakkelijk opgelost kunnen worden door de schoonzoon te laten boeren op de hoeve, maar voor Mientje zal er nooit een vrijer komen. Zij hebben zich er al bij neergelegd en ze bereiden zich erop voor te zijner tijd de hoeve met alles erop en eraan te verkopen en zich met Mientje terug te trekken in een, eventueel nieuw te bouwen, huis in het dorp. Dat gaat vooral Teun aan het hart, want de Wilgenhoeve is al sinds mensenheugenis in het bezit van de familie Van Meurs. Een gevelsteen vormt er het bewijs van, want daarop staat dat de eerste steen op 23 maart 1740 werd gelegd door ene Jacobus van Meurs, waarvan Teun dus een verre nazaat is.

Hein heeft het op de Wilgenhoeve best naar zijn zin, want de oude boer laat hem erg vrij. Hij weet dat Hein na het ongeluk van zijn zwager De Rietkant goed geleid heeft en dus schenkt hij hem alle vertrouwen. Hein weet dat dat zelfs de belangrijkste reden was waarom hij te hulp geroepen is. Hij laat de boer dan ook merken dat hij zich met al deze verantwoordelijkheden als een vis in het water voelt en als Teun hem dan op de man af vraagt of hij zou willen blijven, reageert hij enthousiast. Als hij dan nooit in staat zal zijn een eigen bedrijf op poten te zetten, dan is dit het werk dat hem in ieder geval bevrediging schenkt. Hij krijgt ook aanzienlijk meer betaald dan een gewone knecht en dus reageert hij positief op de vraag van Teun.
„Ik zal mijn voorstel met Dirk Ploeger bespreken, Hein. Je hoort nog van me," besluit Teun.
Het gesprek tussen Teun en diens zwager vindt de volgende dag al plaats en hoewel Dirk Hein met tegenzin definitief zal laten gaan, respecteert hij de wil van Hein zelf en verzet zich niet.

Als Mientje hoort dat Hein niet meer teruggaat naar De Rietkant, springt zij een gat in de lucht van blijdschap. De hang van haar kind aan de nieuwe knecht baart boerin Jaan enige zorg. Ze is gek op hem en dat is niet van vandaag of gisteren. Toen ze af en toe bij haar tante Agaat logeerde kwam ze al met enthousiaste verhalen over Hein thuis. Vooral toen ze een keer met hem naar de markt geweest was, was zij niet meer te stuiten in haar loftuitingen. Zelf is ze ook erg te spreken over Hein, want hij bekommert zich met veel toewijding om de hoeve en het vee. In een vertrouwelijk gesprek heeft hij al eens laten vallen dat hij droomt van ooit een eigen hoeve, maar dan schudt hij meteen zijn hoofd en zegt dat dat wel altijd een droom zal blijven. Is dat laatste zo? Zou Hein van Mientje, voor wie hij altijd zo aardig is, kunnen houden? Of vindt hij haar minstens zó aardig dat hij met haar zou willen trouwen? Dat Mientje graag met Hein zou willen trouwen is wel duidelijk, want ze aanbidt hem bijna. Maar als de liefde van één kant komt en Hein zou Mientje uitsluitend uit medelijden of - erger nog - voor de hoeve willen trouwen, zou zij er dan goed aan doen een verkering en later een huwelijk aan te moedigen? Allemaal vragen die haar dagelijks bezighouden en waar ze geen antwoorden op weet te verzinnen. Ze ligt er 's nachts wakker van. Te weten dat haar kind in goede handen achterblijft als zij en Teun er niet meer zijn, zou haar grootste wens zijn. Aan een jongen als Hein zou ze die zorg graag toevertrouwen.

De dagen volgend op haar nachtelijke gepieker geeft Jaan haar ogen goed de kost en dan valt het haar eens te meer op dat Hein erg hartelijk voor Mientje is en dat Mientje zelf zich uitslooft om het Hein maar zo goed mogelijk naar de zin te maken.

Als zij op een avond samen met Teun in de kamer zit, praten ze na over de vaste aanstelling van Hein en zijn reactie daarop. „Het geeft Hein een beetje het gevoel zelf boer te zijn op deze hoeve," zegt Jaan.

„Hoe kom je daar zo bij, Jaantje?"

„Och, Hein heeft me al eens in een vertrouwelijk gesprek verteld dat een eigen bedrijf voor hem een droomwens is. Hij meent dat die wens nooit in vervulling zal kunnen gaan, maar heeft hij daar gelijk in, Teun?"

„Hoe moet ik dat weten?"

„Heb jij gezien hoe aardig Hein voor Mientje is en hoe Mientje hem adoreert?"

„Je denkt toch niet aan verkering of zo, hè?"

„Waarom niet? Hij zou Mientje er dolgelukkig mee maken en zelf kan hij zijn droomwens dan in vervulling zien gaan. Ook voor ons zou het heerlijk zijn te weten dat Mientje jouw werk en dat van je voorouders kan voortzetten samen met een man van wie ze houdt."

„En die haar zou trouwen om de hoeve," zegt Teun feller dan zijn bedoeling is.

„Daar heb ik ook wel aan gedacht, maar Mientje is toch een erg lief meisje en als Hein nou van haar zou kunnen houden. En... ." verder komt de boerin niet. Ze laat haar hoofd op de tafel zakken en barst in snikken uit.

„Maak je nou niet zo van streek, Jaan." Teun schrikt van de reactie van zijn vrouw en slaat een arm om haar heen.

„Mientje is een lief meisje, maar geen meisje om te trouwen. Ze heeft het verstand van een kind en er is toch geen man die met een kind wil trouwen."

„Ik weet het wel, jongen, maar ik heb zo'n medelijden met haar. Jij ziet toch ook dat ze gek op Hein is."

„Dat zie ik wel, meissie, maar Mientje ziet meer in de vriendelijke houding van Hein dan hij bedoelt. Hij is gewoon aardig voor haar, zoals je aardig bent voor een kind."

„Ons kind, Teun. Wat moet er toch van haar worden als wij er niet meer zijn?" De boerin kijkt haar man met betraande ogen aan, maar hij haalt zijn schouders op omdat hij het ook niet weet.

Hein weet niets af van de zorgen die de boer en de boerin bezighouden en zeker niet dat hij daarbij onderwerp van gesprek geweest is. Zijn aandacht wordt opgeëist door zijn neef Kees Pronk die hem en Antje uitnodigt voor zijn bruiloft. Hij gaat er graag op in en ook Antje heeft wel zin in een feestje.

Ze hebben beiden op de dag van het feest vrij en ze kunnen dus ook de huwelijksmis bijwonen. Als het bruidspaar voor het altaar geknield ligt, stelt Antje zich in gedachte voor dat niet Kees met zijn Corrie, maar zij en Hein in de echt verbonden worden, zoals het zo deftig door meneer pastoor gezegd wordt. Ze verlangt er erg naar, maar zij en Hein zijn nog wel erg jong, veel jonger dan Kees en Corrie. Ze moet geduld hebben en Hein ook. Dat moet ze hem af en toe wel zeggen, want het is wel eens moeilijk, ook voor haar, om niet verder te gaan dan een hartstochtelijke kus. Maar ze moet niet wegdromen, maar luisteren naar wat meneer pastoor zegt. Als ze niet luistert en er straks over gesproken wordt zit ze met een mond vol tanden.

Haar angst blijkt later ongegrond, want de bruiloftsgasten hebben het te druk met grappen en grollen om nog terug te denken aan de woorden van de pastoor. Het is wel passen en meten in de huiskamer van ome Kobus Pronk, waar het feest gegeven wordt. Het bruidspaar zit in het midden op versierde stoelen en alle gasten zitten eromheen. Hein en Antje zitten ingeklemd tussen twee ooms van Hein. Die hebben al eens bewonderende blikken op Antje geworpen en Hein moet vervolgens de nodige complimenten incasseren. Er is koffie met bruidssuikers en daarna gaan de gasten aan de borrel. Voor de vrouwen zijn er zoetslokkies. Ome Kobus deelt zwarte sigaren uit en het duurt dan ook niet lang of de ruimte ziet blauw van de rook. Het wordt er steeds benauwder en als Hein Antje in haar oor fluistert dat ze beter een luchtje kunnen gaan scheppen, is zij daar meteen voor te porren.

Ze kuieren wat langs het meer en als ze in de buurt van het huisje van Lou Otten komen, besluiten ze er even aan te gaan. Antje heeft van Hein wel begrepen dat zij geen enkele reden heeft om jaloers te zijn op Chantal en dus begroet ook zij haar hartelijk en neemt de kleine Loesje op haar knie. Het valt hun beiden op dat Chantal zich al aardig verstaanbaar kan maken, maar af en toe moet ze haar toevlucht toch weer tot haar eigen taal nemen, maar dan verstaan Hein en Antje het weer niet. Voor kleine Loesje is het nog geen probleem, want zij maakt nog slechts onverstaanbare geluidjes.

Als Lou even later binnenkomt wordt er nog gesproken over de opbrengst van de groenten, maar als Antje op de klok kijkt schrikt ze, want ze zijn te gast op de bruiloft en natuurlijk kunnen ze niet te lang wegblijven. Vlug nemen ze afscheid en mengen ze zich even later weer onder de feestvierders.

Ondanks de benauwde ruimte moeten ze na afloop van het feest erkennen dat ze wel een erg gezellige dag gehad hebben en er ook veel gelachen is. Omdat het ook erg laat geworden is, zoeken ze maar gauw hun bed op, want vooral voor Hein is het de volgende morgen weer vroeg dag.

„Wat zit jij te gapen; is het gisteravond laat geworden, Hein?" vraagt de boerin en Hein knikt.

„Ja, het was laat, maar wel erg leuk." Dan vertelt-ie wat er zoal gebeurd is en dat de stemming er al vroeg in zat. „Maar toen mijn oom zwarte sigaren ging uitdelen zag het in de kleine ruimte waarin wij zaten algauw helemaal blauw van de rook. Antje en ik zijn toen maar even een ommetje gaan maken."

Zoals gewoonlijk hangt Mientje aan de lippen van Hein en het valt vader Teun op dat zijn dochter zenuwachtig moet slikken als ze de naam Antje hoort. Het lijkt wel of ze zijn aandacht ervan af wil leiden, want, terwijl ze hem met haar ogen 'verslindt', doet ze twee scheppen suiker in zijn koffie en zodra hij zijn kom leeg heeft, schenkt ze hem als eerste weer vol. Hein reageert er op zijn gewone begripsvolle manier op. Ja, Teun ziet dat zijn vrouw gelijk heeft, maar de dweperige manier waarop Mientje Hein behandelt wordt door de laatste op een goedmoedige manier, zoals je met een kind omgaat, beantwoord. Dat is geen basis voor een huwelijk.

Mientje zelf denkt daar heel anders over. Zij weet wel dat Hein verkering heeft met Antje Bennink, maar ze wil niet accepteren dat hij van dat meisje houdt. Hein houdt van haar; dat merkt ze aan alles. In haar beleving ziet zij geen verschil tussen aardig zijn en van elkaar houden. Zij houdt in ieder geval zielsveel van de knecht.

Er is nog iemand die zielsveel van de knecht houdt en dat is Antje zelf. Zij is jarig en wordt twintig. Geld om feest te vieren is er niet, maar een kop echte koffie met een stukje zelfgebakken krentenbrood kan er wel vanaf. Van mevrouw Van Beusekom heeft zij een halskettinkje met een zilveren kruisje gekregen en ze is er ontzettend blij mee.
„Kijk eens wat ik van mevrouw gekregen heb, Hein," zegt ze als ze allemaal bij elkaar in de huiskamer van vader en moeder Bennink zitten. Jopie speelt op de vloer en broer Jan van zestien krijgt zijn eerste sigaartje. Ze hebben allemaal een pakje voor Antje. Het zijn maar kleine dingetjes, maar ze zijn welgemeend en Antje is er blij mee. Hein heeft een paar handschoentjes voor haar gekocht en daarvoor wordt hij beloond met een kus.
„Jullie kussen wel," lacht Jan, „maar of jullie later gaan trouwen is nog maar de vraag."
„Wat is dat nou voor onzin?" vraagt vader Cor een beetje nijdig.
„Dat is geen onzin, pa, want van een zus van mijn vriend hoorde ik dat Mientje van Meurs beweert dat zij met Hein Buurma gaat trouwen."
„Oh, Mientje," lacht vader Cor, „die heeft het zwarte garen uitgevonden toen het witte al bestond." De anderen lachen mee, maar Hein houdt er een naar gevoel aan over en, naar even later blijkt, Antje ook.
„Jij geeft Mientje toch niet het gevoel dat je van haar houdt, Hein?" vraagt ze bij het afscheid, maar Hein schudt zijn hoofd.
„Mientje is een lief meisje en ik ben aardig voor haar, niet meer en niet minder, maar je moet haar woorden niet serieus nemen, lieveling. Je kent haar toch!"
„Ja, net zo lang en net zo goed als jij haar kent, maar ik vind het toch niet leuk om te horen wat zij rondbazuint."

„Moet ik er dan iets van zeggen?"

„Och nee, laat maar; ze raakt er misschien alleen maar door van streek. Maar ik heb nog een verrassing voor jou."

„Maar ik ben niet jarig, hoor!"

„Nee, dat weet ik, maar er is deze week een fotograaf bij ons in de villa geweest om een familiefoto te maken en mevrouw kwam toen op het idee van mij alleen ook een foto te laten maken, lief, hè? Kijk, hier is-ie en hij is voor jou."

„Dat is lief van je, schatje. Je was altijd al een plaatje, maar nu heb ik je steeds bij me op een plaatje. Als ik hem op mijn kamer op mijn kastje zet, kan ik altijd naar je kijken, ook als je er niet bent. Bedankt, hoor!" Hein neemt zijn lieve meisje in zijn armen en kust haar innig bij het afscheid.

Als hij op zijn kamertje boven het achterhuis van de Wilgenhoeve is moet hij terugdenken aan de woorden van Jan Bennink. Dus Mientje bazuint rond dat ze met hem gaat trouwen. Eigenlijk zou hij er boos om moeten zijn, maar hij kan er toch alleen maar om glimlachen. Serieus neemt hij haar woorden niet en Antje gelukkig ook niet. Toch denkt hij er verder over na. Stel nou dat Mientje ze allemaal op een rijtje had. Ze zou er niet anders uitzien dan nu, want ze is recht van lijf en leden en als je het niet weet denk je dat het een gewoon niet onknap en aardig meisje is. Stel ook dat hij het zou doen en zou trouwen met Mientje, dan zou hij boer op de Wilgenhoeve worden. Een langgekoesterde wens, een droom, zou in vervulling gaan. Maar trouwen met Mientje, zoals zij in werkelijkheid is, zou eerder een nare droom, ja zelfs een nachtmerrie zijn. Antje inruilen voor Mientje? Hij moet er niet aan denken, maar met Antje als dochter van een berooide boerenknecht zal hij het nooit verder schoppen dan zijn aanstaande schoonvader. Hooguit kan hij later het keuterbedrijfje van zijn vader overnemen, maar die is pas vijfenveertig en zal nog wel minstens twintig jaar blijven boeren. Wat dat betreft ziet de toekomst er niet zo rooskleurig uit, maar hij heeft zijn Antje. Hij haalt haar footootje uit zijn zak. Zij heeft het door de fotograaf in een mooi lijstje laten zetten en hij kan het dus zó op zijn kastje zetten. Hij doet het en hij plaatst het zo dat hij haar, als het licht is, altijd vanuit zijn bed kan zien. Mooi is ze en lief, maar veel heeft hij haar niet te bieden. Als ze getrouwd zijn en in een daggeldershuisje wonen kan hij een geit, die ze in het dorp de werkmanskoe noemen, wat kippen en enkele konijnen houden. Dat is dan zijn hele 'bedrijf'. Voor iemand met zijn capaciteiten is dat maar een armzalige bedoening, maar meer zit er helaas niet in.

„Wat is er met jou aan de hand?" vraagt Jaan van Meurs verschrikt als Mientje die ochtend huilend de kamer binnenkomt nadat ze boven de bedden opgemaakt heeft. Zij zakt op een stoel en is niet tot bedaren te brengen. „Maar wat is er dan toch, lieverd?" De boerin begrijpt niets van het plotselinge verdriet van haar dochter.
„Boven!" Mientje wijst met haar vinger naar boven en barst dan opnieuw in snikken uit.
„Wat is er boven dan aan de hand?"
„Op… eh… 't kamertje… van Hein." Mientje moet zó huilen dat ze niet uit haar woorden kan komen.
„Wat is er dan op het kamertje van Hein?"
„Een fotootje." Mientje zakt op een stoel bij de tafel neer en verbergt haar gezicht in haar handen. Ze snikt zó dat haar schouders schokken. De boerin laat haar maar even begaan en loopt naar boven om te zien wat Mientje bedoelt met 'een fotootje' en waarom dat haar zo van streek maakt. Maar eenmaal op het kamertje van Hein wordt haar alles duidelijk als zij op het kastje van Hein de foto van Antje ziet. Een mooie foto van een erg knap meisje. Ze verplaatst zich in de gedachtegang van haar dochtertje en begrijpt dan dat ze verdrietig is als ze ziet dat haar geliefde een foto van zijn meisje op zijn kastje gezet heeft.
„Heb je het nou gezien, moe?" vraagt Mientje met een betraand gezicht als haar moeder weer beneden is.

„Ik heb het fotootje gezien, meissie, maar daar moet jij niet zo om huilen. Hein heeft verkering met Antje Bennink en het is dus niet zo gek dat hij een fotootje van haar op zijn kastje zet."

„Dan moet er van mij ook een foto gemaakt worden," beslist Mientje en wat moeder Jaan ook zegt, ze is niet van haar voornemen af te brengen. Ze moet en zal naar de fotograaf. Als Hein die ochtend koffie komt drinken vraagt Mientje, als ze even alleen is met hem, of hij van haar ook een fotootje wil. Hein wil haar niet voor het hoofd stoten en zegt dat hij dat erg leuk zou vinden. Inwendig moet hij lachen om de kinderlijke reactie van Mientje op het fotootje van Antje. Dat ze hem graag mag weet hij zo langzamerhand wel, maar nu lijkt het erop alsof ze een beetje jaloers is. Niet zo gek natuurlijk, want ze bazuint in het dorp al rond dat ze met hem gaat trouwen.

„Je fotootje staat prachtig op mijn kastje, schat," zegt Hein als hij Antje weer ziet. „Ik vind het prachtig en ik kijk ook vaak naar je, maar toch is er iemand die het niet zo leuk vindt." Het laatste heeft hij lachend gezegd.

„Wie dan?" Antje begrijpt er niets van.

„Mientje natuurlijk! Ze bazuint al rond dat ze met me gaat trouwen en het lijkt er wel op of ze echt verliefd op me is. Ze wil zelfs ook een foto van zich laten maken en het aan mij geven. Wat moet ik daar nou mee?"

„Je moet het negeren."

„Maar ik kan het kind toch niet voor haar hoofd stoten; ik heb al gezegd dat ik het erg leuk zou vinden."

„Mientje is mal zoals ze op het dorp zeggen, maar je moet toch een beetje voorzichtig zijn, lieverd." Antje tilt er kennelijk zwaarder aan dan Hein en naar later zal blijken niet ten onrechte.

Die avond in bed kan Antje de slaap niet vatten. Hein heeft het altijd over zijn droom een grote boer te worden. Als hij

196

met Mientje zou trouwen dan wordt hij dat automatisch. Ze is gek op hem en kennelijk jaloers op haar. Zelf is Mientje er al van overtuigd dat ze met Hein zal trouwen, maar iedereen doet daar lacherig over. Voor haar ouders is zij ongetwijfeld een zorgenkindje. Stel dat haar ouders in de vriendelijke houding van Hein een mogelijkheid zien om hun dochter aan hem te koppelen, wat in de boerenstand heel gebruikelijk is, wat doet Hein dan? Is zijn drang om een grote hoeve in eigendom te krijgen zo groot dat hij toegeeft? De vraag stellen is hem meteen weer ontkennen, want dat doet Hein niet. Hij is gek op haar en zij op hem, maar toch! Ze kan het hele probleem maar moeilijk van zich af zetten.

Dan kan op een morgen Teun van Meurs niet uit zijn bed komen. Hij heeft het erg benauwd en de boerin vraagt Hein de dokter te waarschuwen. Hein weet dat de boer een zwak hart heeft en dus haast hij zich naar de dokter, die toezegt onmiddellijk te zullen komen. Als dokter Risseeuw arriveert constateert hij dat het goed mis is met het hart van de boer. „Hoelang heeft uw man het al zo benauwd, vrouw Van Meurs?" vraagt de dokter en als hij dan hoort dat de boer er wel vaker last van heeft maar niet zo erg als vandaag, schudt hij zijn hoofd. Het komt in zijn praktijk toch zo vaak voor dat patiënten al bijna met één been in het graf staan voordat ze er een dokter bij halen. Vele levens had hij kunnen redden of minstens verlengen als hij maar tijdig gewaarschuwd was, maar boerenmensen klagen niet. Het zal wel weer overgaan, menen ze en ze laten de ziekte voortwoekeren met alle gevolgen van dien. Soms gaan ze zelf op zoek naar de remedie en laten zich door kwakzalvers allerlei middeltjes aanpraten. Ook de kruidenvrouwtjes doen goede zaken. Hij zal de laatste zijn die de geneeskrachtige werking van bepaalde kruiden ontkent, maar kwakzalverij en bijgeloof vieren nog steeds hoogtij in een boerengemeenschap als die van het dorp aan de Wijde Laak.
„Uw man heeft een ernstige hartkwaal, vrouw Van Meurs,"

is de diagnose van de dokter. „Hij zal het heel erg rustig aan moeten doen als u hem nog graag een poosje bij u houdt. De leiding over dit boerenbedrijf zal hij helemaal uit handen moeten geven, want voor een man van over de zeventig met zo'n ernstige hartkwaal is dat veel te zwaar."

„Maar hij doet al geen zwaar werk meer, dokter," zegt Jaan, maar dokter Risseeuw schudt zijn hoofd.

„Ook zonder lichamelijke arbeid is de geestelijke belasting van de verantwoordelijkheid over een zo groot bedrijf als het uwe te zwaar voor uw man. Hij moet de hele leiding, inclusief alle verantwoordelijkheden, overdragen wil hij een kans maken deze ernstige crisis te overleven." Dokter Risseeuw zegt het maar glashard zoals het is, want hij kent zijn pappenheimers. Meestal is het zo dat de boeren overgaan tot de orde van de dag zodra hij zijn hielen gelicht heeft.

„Wat zei de dokter?" vraagt Hein als dokter Risseeuw weg is en aan het gezicht van de boerin ziet hij dan wel dat het heel ernstig is.

„Het is heel niet best, jongen. De dokter heeft hem volledige rust voorgeschreven." Ze zegt het niet alleen tegen Hein, maar ze brengt ook haar eigen man op de hoogte van de ernstige situatie en samen zijn ze het erover eens dat ze aan niemand beter dan aan Hein de leiding over hun bedrijf kunnen overdragen.

„Roep Hein maar even, Jaan," zegt Teun.

„Ik hoor dat je het nogal flink te pakken hebt, baas," zegt Hein als hij bij het bed van de boer komt.

„Dat is zo, jongen, en daarom heb ik je gevraagd even aan mijn bed te komen. Je weet waarom ik je gevraagd heb hier te komen werken. Nu ga ik nog een stap verder. Tot nu toe heb ik de leiding zelf nog in handen gehouden, maar de dokter vindt dat niet langer verantwoord. Toen Dirk Ploeger in het ziekenhuis lag regelde jij alles op De Rietkant. Mijn vraag aan jou is hier ook de volledige leiding van mij over te nemen. Wil je dat?"

„Niets liever dan dat, baas. Het besturen van een grote hoeve is altijd een droom van mij geweest. Ik heb dat, zoals je al zei, een tijdje mogen doen op de hoeve van Dirk. De Wilgenhoeve is nog een stuk groter dan De Rietkant en ik beschouw het dus als een hele eer dat hier ook te mogen doen."

„Dan is dat afgesproken, Hein. Ik wens je veel succes en als je raad nodig hebt, dan kun je altijd aankloppen bij Dirk."

„De dokter heeft pa volledige rust voorgeschreven, Mientje, en zolang pa ziek is neemt Hein de leiding van de hoeve op zich."

„Wordt Hein hier de boer, moe?" vraagt Mientje gretig. In haar gedachtegang zou het niet zo gek zijn dat zij hier boerin wordt als Hein de status van boer krijgt.

„Pa blijft hier de boer, maar Hein neemt de leiding van hem over zolang hij ziek is." Jaan begrijpt wel waarom Mientje graag wil dat Hein hier de boer wordt en dus zwakt ze het wat af. „Zolang pa ziek is," heeft ze gezegd, maar wordt pa nog ooit zover beter dat hij het beheer van de hoeve zelf weer op zich kan nemen? Ze betwijfelt het.

Naarmate de weken verstrijken en er geen enkele verbetering in de toestand van de boer optreedt, maakt Jaan zich steeds grotere zorgen en niet alleen om haar man, maar ook om Mientje. Om het bedrijf hoeft ze zich geen zorgen te maken, want Hein kwijt zich met verve van zijn taak. Op de markt onderhandelt hij zelfstandig met de kooplui en als hij niet helemaal zeker van zijn zaak is, wil hij Dirk Ploeger nog wel eens raadplegen, maar als blijkt dat Hein zelf al steeds de juiste beslissing voor ogen heeft, vindt Dirk dat niet meer nodig.

Daarmee is ook het laatste stukje afhankelijkheid van andermans beslissingen bij Hein weggenomen en is hij dus volledig verantwoordelijk voor de gang van zaken in en om de grote Wilgenhoeve.

HOOFDSTUK 10

In de winterdag staan er op de Wilgenhoeve nogal wat koeien droog en Hein kan het met de hulp van Mientje met het melken wel redden. Maar naarmate het voorjaar nadert moet hij toch af en toe een losse knecht inhuren. De grote staal langs de ka van het buitenwater heeft hij gedurende de wintermaanden met een dikke laag mest bedekt en Guus Oordman, de losse knecht, heeft er wekenlang over gedaan de staal 'klein te maken', oftewel de gedroogde bagger met mest te vermengen. Nu de eerste lentemaand aangebroken is wordt de staal over het land uitgereden. Guus laadt de stortkarren en Hein rijdt de mest uit over het land en harkt met de grote haak hoopjes mest uit de stortkar en als die leeg is keert hij weer terug naar de staal. Daar haakt hij paard en zwing van de lege kar af en haakt hem weer vast aan de kar die zojuist door Guus is volgeladen.

Voorheen was het de boer die het lichtere werk van karren en hoopjes afschuiven deed, maar nu is Hein in feite de boer en kan hij dit deel van het werk voor zich opeisen. Als de mest is uitgereden en alleen de hoopjes nog over het land moeten worden verspreid, komt er weer een andere taakverdeling. Guus doet het werk waar Hein een uitgesproken hekel aan heeft, namelijk het uitmesten van de varkenshokken, en Hein is zelf achter in de polder bezig met het verspreiden van de afgeschoven hoopjes mest. Helemaal terugkeren naar de hoeve om koffie te drinken betekent een te groot tijdsverlies en dus brengt Mientje hem z'n koffie achter in de polder. Ze doet dat zeker niet met tegenzin, want Hein verwennen is een van haar favoriete bezigheden.

„Koffie!" roept ze al van ver als ze met haar mandje met de koffiekan, de sneetjes krentenbrood en de kroezen in aantocht is. En als ze dichtbij is vindt ze dat Hein maar eens lekker bij haar moet komen zitten, want ze heeft niet alleen koffie met een grote pot suiker, maar ook nog sneden zelfgebakken krentenbrood in haar mandje. Ze spreidt de geblokte theedoek uit over het gras en zet die vol met de meegebrachte heerlijkheden. „Zo, ga jij maar lekker zitten dan zal ik je eens inschenken," zegt ze en dan gaat ze bedrijvig aan de gang. „Nou, heb ik niet goed voor je gezorgd?" Mientje vist duidelijk naar een complimentje en die kan ze van Hein krijgen.

„Je zorgt als een moedertje voor me."

„Nee, niet als een moedertje, maar als een lief vrouwtje." Ze schuift wat dichter tegen hem aan en kijkt hem met een verliefde blik aan. „Ik heb nou toch zeker wel een zoentje verdiend," zegt ze haar lippen tuitend, maar Hein schudt zijn hoofd.

„Zoentjes bewaar ik voor mijn meisje."

„Voor Antje?"

„Ja, want Antje is toch mijn meisje."

„Jij bent toch geen man om te trouwen met de dochter van een knecht. Antje bezit niks. Als je met mij trouwt word je boer op de Wilgenhoeve, of wil je liever altijd knecht blijven?"

„Oh, oh, wat een praatjes heb jij vandaag!" Hein moet erom lachen, maar hij is eigenlijk wel een beetje verlegen met de situatie. Hij weet dat je de uitspraken van Mientje met een baal zout moet nemen, maar vandaag praat ze toch wel verstandig en ze gaat nog door.

„Jouw vader is toch ook boer, dus is het normaal dat jij een boerendochter trouwt."

„Boer en boer is twee, Mientje," lacht hij. „In vergelijking met jouw vader is mijn vader maar een heel klein keuterboertje, hoor! Maar ik moet weer aan de slag, want als ik blijf zitten komt het werk nooit klaar." Hij springt op en wil weer aan het werk gaan, maar Mientje pakt zijn mouw, kijkt hem aan en zegt een beetje kinderlijk: „Als je met me trouwt zal ik altijd erg lief voor je zijn, hoor!"

Als Mientje met haar mandje wegloopt en zich tot drie keer toe omdraait om naar hem te zwaaien, zwaait hij terug en blijft haar even, leunend op zijn schop, nakijken. Ze loopt met verende pas en ze is recht van lijf en leden; ze is ook lief en aanhankelijk. Als hij zou doen wat zij voorstelt zou hij boer op de grote Wilgenhoeve worden. In het dorp zou hij een man van betekenis zijn en gekozen worden in allerlei besturen. Op zondag zou hij tussen de andere grote boeren vóór in de kerk zitten. Maar dan schudt hij zijn hoofd over zoveel dwaze gedachten. Mientje heeft ook nog ouders die over haar waken en beslissen over haar toekomst. Gaat het 'hebzuchtduiveltje' weer met zijn verstand op de loop? En Antje dan? In gedachten ziet hij haar verwijtende blik als hij het over zijn droom als grote boer heeft. Is zij bang dat hij haar ontrouw wordt? Nee, dat kan niet, want hij heeft er bij haar nooit enige twijfel over laten bestaan dat hij haar boven alles en iedereen liefheeft. Ook boven het bezit van zo'n kapitale hoeve? Wrevelig stort hij zich weer op het werk. Die Mientje ook met haar zottenpraat!

„Mientje was vandaag weer zó met Hein in de weer, Teun," zegt de boerin als Mientje naar bed is en haar man met een kussen in zijn rug even bij haar in de huiskamer zit.
„Hoe bedoel je dat, vrouw?" Teun kijkt haar vragend aan.
„Ze heeft hem achter in het land koffie gebracht en ze had weer hele verhalen over trouwen met Hein die hier dan de boer zou worden. Wat moeten we daar nou mee?"
„Daar hebben we het al eens over gehad, Jaan."
„Weet ik, Teun, maar Mientje is gek op die jongen en Hein zelf is erg lief voor haar, hoor! Je weet dat ik me erg veel zorgen maak om haar toekomst. Moeten wij er toch niet eens met Hein over praten?"
„We moeten Hein niet in de verleiding brengen door hem de hoeve als worst voor te houden, Jaantje. Begrijp dat toch! Als Hein Mientje op de koop toe neemt is dat voor ons kind toch ook geen oplossing."
„Leen komt volgende week thuis voor een korte voorjaars-

vakantie; kunnen we er met hem niet eens over praten?"
„We moeten die jongen daar niet mee lastigvallen, liever;
het is ons probleem en niet het zijne."

Leen van Meurs ziet er in de ogen van Hein Buurma nogal
indrukwekkend uit in zijn zwarte toog. Hij kent hem al van
de schoolbanken, maar toen was hij gewoon een van de jongens. In de zwarte toog die hij nu aanheeft, ziet hij er eender
uit als de kapelaan die af en toe de pastoor op het dorp assi-
steert. Op verzoek van de boer haalt hij hem met de tilbury
op bij het seminarie in Warmond.
„Kan ik nou gewoon Leen zeggen of zeg ik eerwaarde?" Hein
kijkt zijn oud-klasgenoot met een onzekere blik aan.
„Als je mij eerwaarde noemt dan noem ik jou meneer Hein,"
lacht Leen. „Voordat mensen mij met 'eerwaarde' gaan aan-
spreken moet ik nog heel wat jaartjes studeren, maar voor
mijn vrienden en bekenden blijf ik ook dan gewoon Leen,
hoor!"
„Je hebt enkele weken vakantie, hè?"
„Ja, heerlijk! Als ik straks thuiskom verwissel ik mijn toog
gauw voor een boerenkiel en dan ga ik jou helpen. Mijn handen jeuken om aan de slag te gaan."
„Maar er zal weinig eelt op zitten, denk ik," lacht Hein.
„Voor een paar blaren ben ik niet bang, hoor! Maar is er nog
iets nieuws uit ons mooie dorpje te melden, Hein?"
„Word je niet op de hoogte gehouden door je ouders?"
„Nee, dat zijn niet zulke schrijvers. Moe heeft me alleen een
briefje gestuurd over de toestand van pa en dat jij nu de
lakens uitdeelt op de Wilgenhoeve."
„Niet overdrijven! Ik probeer de zaak draaiende te houden
en dat lukt me, eerlijk gezegd, aardig. Maar je vroeg naar
nieuwtjes."
„Ja, hoe is het met dat Franse vrouwtje dat bij Lou Otten
was? Die is zeker alweer terug naar 'la douce France'?"
„Nee hoor! Ze woont nog steeds bij Lou en ze zijn gek op
elkaar en op het kindje."

„Wonen ze ongetrouwd samen?"

„Zij schijnen dat de gewoonste zaak van de wereld te vinden."

„Daar zullen nogal wat dorpelingen problemen mee hebben," veronderstelt Leen en Hein knikt.

„Wat oudere vrouwtjes, Jans Faber voorop, hebben geklaagd bij pastoor Houtman. Die heeft daarop de klagers gevraagd of een van hen Chantal met haar kindje op wil nemen, maar toen kreeg-ie nul op het rekest."

„Echt iets voor ons goeie ouwe pastoortje," zegt Leen met een vertederde klank in zijn stem. „Ik zal gauw eens bij hem langsgaan, want hij heeft altijd veel belangstelling voor mijn vorderingen op het seminarie."

Doordat ze zo gezellig zitten te keuvelen schiet de reis naar huis flink op en al gauw draaien ze het erf van de Wilgenhoeve op.

Leen wordt vooral door Mientje uitbundig begroet, maar ook zijn ouders zijn blij hun zoon weer eens te zien. Ze hebben gewacht met de koffie en voor de gelegenheid heeft de boerin een lekkere appeltaart gebakken. Mientje mag de taart aansnijden en de stukken verdelen. En natuurlijk schuift ze Hein weer het grootste stuk toe. Leen ziet het glimlachend aan. Hij is gek op zijn zusje en hij weet dat dat omgekeerd ook het geval is. Maar nu ziet hij aan haar hele doen en laten dat ze ook Hein erg graag mag.

Als hij zich omgekleed heeft en Hein helpt bij het mesten begint hij erover.

„Jij kan bij Mientje geen kwaad doen, geloof ik, hè?"

„Als je voor Mientje aardig bent gaat ze zich gauw aan je hechten."

„Ja, dat merk ik wel. Ze heeft een lief karakter, maar ze heeft helaas erg veel beperkingen en daar wordt nogal eens de spot mee gedreven. Ik merk aan haar houding dat ze jou aardig vindt en dat komt misschien ook wel omdat jij op school nooit meedeed aan de pesterijen door de jongens. Wees maar een beetje lief voor haar, want het kind heeft al zo weinig en wat is haar voorland?" Leen trekt er een zorgelijk gezicht bij.

Gedurende de weken die Leen op de hoeve is, werken hij en Hein fijn samen. Hein vindt het dan ook jammer als hij hem weer terug naar het seminarie in Warmond moet brengen. Als hij hem afgeleverd heeft en terugkomt op de hoeve merkt hij dat ook aan de boerin die in haar eentje aan de koffie zit. Mientje is even bij de buren en Teun ligt te rusten.

„Nu moeten we Leen weer een poos missen, Hein," zegt ze met een bedroefde blik in haar ogen. „Ik kan zo fijn met hem praten. Het is een heel gevoelige jongen en ik ben ervan overtuigd dat-ie later een goed priester zal zijn. Hij vertelde me ook dat hij het erg fijn vindt dat jij zo goed met Mientje omgaat, want hij maakt zich, net als ik, erg veel zorgen om haar."

„Tegen mij zei hij ook dat ik maar een beetje lief voor haar moet zijn omdat het meisje toch al zo weinig heeft."

„Dat vind ik ook, hoor jongen! Zij is erg op jou gesteld, maar dat laat ze je overduidelijk merken. Zij hecht zich gauw aan iemand die goed voor haar is. Daarom maak ik me ook zo'n zorgen om de toekomst. Als jij hier zou blijven, dan zou dat voor mij een grote geruststelling zijn, want nu mijn man zo ziek is en misschien nog maar kort te leven heeft, maak ik me steeds meer zorgen om de toekomst."

„U zegt 'als jij hier zou willen blijven'; hoe bedoelt u dat?"

„Dat jij hier met Mientje blijft als wij er niet meer zijn. Of denk jij niet met Mientje te kunnen leven?"

„Als man en vrouw?"

„Ik wil het beste voor mijn kind, Hein, maar ik realiseer me dat het voor jou een moeilijke keuze zal zijn, maar als je het wilt doen dan word jij hier boer, want Mientje is, naast Leen, onze enige erfgename."

„Maar hoe denkt Leen er dan over?"

„Zoals ik al zei maakt Leen zich ook grote zorgen om de toekomst van Mientje, maar ik heb met hem niet over jou en Mientje gesproken."

Die nacht doet Hein geen oog dicht. Hij ligt maar te draaien en hoewel het nog lang geen melkenstijd is, houdt hij het in zijn bed niet langer uit. Hij staat op, kleedt zich aan en gaat naar buiten. Hij loopt wat doelloos rond in de erg vroege ochtendschemering en hij gaat dan naar het hek van de kalverweide. De beesten likken aan zijn handen en hij strijkt ze over hun donzen kopjes. Lang staat hij daar in diep gepeins verzonken. Het wordt al licht in het oosten en de vage contouren van de hoeve met alles eromheen worden steeds duidelijker zichtbaar. Als hij met Mientje trouwt, dan wordt dit allemaal zijn eigendom. De uitgestrekte weilanden met gezond glanzend melkvee, schapen en varkens. Alles! Hij kan het nauwelijks bevatten. Nu beheert hij alles, maar er is niets van hemzelf bij. Maar dat zal zo blijven, want hij houdt van Antje en kan dus niet met Mientje trouwen.

„Oh, ben je dáár!" Het is de verbaasde uitroep van de boerin. „Er kwam geen reactie toen ik je riep en toen ik op je kamer ging kijken was je er niet meer. Wat doe je hier toch? Je hebt toch geen moeilijkheden?"

„Och nee, laat me maar. Ik kon niet slapen en ben er toen maar uit gegaan."

„Ja, dat kan gebeuren." Jaan van Meurs weet ervan mee te praten. Maar als zij niet kan slapen komt het door de zorgen die zij heeft over de gezondheid van haar man en de toekomst van Mientje. Hein ontkent dat hij moeilijkheden heeft, maar is dat zo? Worstelt hij misschien met het voorstel dat zij hem onlangs deed? Zou zij er niet verstandig aan doen Hein te vertellen dat ze er bij nader inzien toch niet voor is dat hij en Mientje trouwen? Hoofdschuddend loopt ze de woning in; zij kan niet tot een besluit komen.

Nee, Jaan van Meurs kan niet tot een besluit komen, ook niet als ze ziet dat Hein in de weken die volgen steeds magerder wordt. Zijn knappe gezicht wordt hoekig en diepe denkrimpels ontsieren zijn voorhoofd.

Het valt niet alleen de boerin op dat Hein zo vermagert, maar ook Antje. Als hij bij haar is, is hij afwezig en bij het afscheid kijkt hij haar soms met zo'n hulpeloze blik aan. Als ze vraagt of er iets is, dan schudt hij zijn hoofd en als ze hem erop wijst dat hij zo mager wordt, wijt hij dit aan het harde werken en de druk van alle verantwoordelijkheden.

„Waarom neem je dan niet een vaste knecht in plaats van steeds maar een losse knecht in te huren?" vraagt ze en Hein knikt.

„Dat is niet zo'n slecht idee; ik moet er eens over nadenken. Ik wil altijd alles piekfijn in orde hebben en als je er meestentijds alleen voor staat valt dat niet mee, maar voor het melken is het eigenlijk niet nodig, want dat doe ik samen met Mientje."

De beslissing al dan niet een vaste knecht te nemen wordt vergemakkelijkt als ook de boerin erover begint dat hij steeds magerder wordt. Zij en ook de boer zijn het met hem eens dat aanstelling van een vaste knecht de beste oplossing is.

„Ik heb toevallig gehoord dat Aard Pompe nog geen vast werk heeft. Het is een stevige knaap van zeventien en ik ken hem goed omdat het een broer is van mijn kameraad Wim Pompe."

„Ga er dan maar gauw naartoe," raadt de boer hem aan, en dat doet Hein de volgende avond al.

„Hein! Wat een verrassing!" roept vrouw Pompe als Hein aan de deur komt. „We zien je de laatste tijd nooit meer; je hebt het zeker te druk op de Wilgenhoeve."

„Dat is nou precies de reden van mijn komst, vrouw Pompe. Is Aard thuis?"

„Ja, hij is achter bezig; ik zal hem roepen." Ze loopt het erf op en als ze even later met zoon Aard terugkomt en Hein hem zijn voorstel doet, reageert hij meteen enthousiast. En hij niet alleen: ook zijn ouders vinden het geweldig als Aard vaste knecht wordt op de grote Wilgenhoeve met Hein als baas.

„Maar ik ben wel streng, hoor!" lacht Hein en dat vindt vooral moeder Pompe nog zo slecht niet, want ze vindt dat 'die kwajongen' wel een strakke hand nodig heeft. Dit uiteraard onder protest van Aard zelf.

„Je blijft toch zeker wel een bak koffie drinken, Hein," meent vrouw Pompe en Hein knikt. Hij heeft het wel druk, maar meteen weer weglopen uit het huis waar hij altijd zo gastvrij werd ontvangen toen hij nog geregeld omging met Wim, vindt hij niet netjes. Hij zegt het ook en dan komt toevallig Wim zelf binnen. Als hij hoort dat zijn jongere broer knecht wordt bij Hein op de Wilgenhoeve, vindt-ie dat wel fijn voor Aard, maar hij is tegelijkertijd jaloers op zijn kameraad. Die Hein Buurma zit ook alles mee. Hij heeft verkering met Antje Bennink, het mooiste meisje van het dorp waar hij zelf ook al jaren gek op is, en dan is hij bovendien nog zo goed als boer op de Wilgenhoeve. Als eenvoudige boerenknecht zonder verkering voelt hij zich duidelijk de mindere van Hein, maar hij laat niets merken. Afgesproken wordt dat Aard de volgende maandag al begint.

Hoewel de boerin er niet met haar over gesproken heeft lijkt het wel of Mientje aanvoelt met welk probleem Hein al een poos worstelt. Ze is extra lief voor hem en als ze even samen zijn vraagt ze of hij niet een klein beetje van haar kan houden en weer tuit ze haar lippen voor een zoentje. Deze keer doet Hein het en dan kust ze hem vol overgave terug. Ze heeft een kleur van opwinding en dan valt het Hein weer eens op dat ze eigenlijk best knap is. Ze is knap en heeft een lief karakter. Zou het nou werkelijk zo'n grote opgave zijn haar als vrouw te hebben? Maar terwijl hij het denkt ziet hij weer de ogen van Antje en begint het twijfelen van voren af aan. Tot de boerin vraagt of hij al eens over haar voorstel heeft nagedacht.

„Je vermagert en je weet het steeds aan het harde werken, maar nu je er een vaste knecht bij hebt word je nog magerder. Heb ik het mis als ik veronderstel dat je worstelt met mijn voorstel?"

„Nee, dat klopt, vrouw Van Meurs; ik kan niet tot een besluit komen."

„Zal ik je dan een handje helpen, jongen? Je moet kiezen tussen een leven als knecht en een leven als boer. In het laatste geval deel je dat leven met een lief en niet onknap meisje met als handicap dat ze in haar ontwikkeling wat achtergebleven is. Is dat laatste zo'n opgave?"

„Nee, dat is het niet, vrouw Van Meurs; ik doe het!" Het zijn slechts drie woordjes, maar ze zetten het leven van drie mensen helemaal op zijn kop.

„Dat is een wijs besluit, Hein, en ik ben erg blij met jou als toekomstige schoonzoon. Maar we moeten nu ook eerst met de boer gaan praten, want die zal jou ook wel het een en ander te vragen hebben."

Dat laatste blijkt het geval te zijn als ze bij het bed van Teun van Meurs komen. Hij heeft het toevallig weer erg benauwd gehad en dus is hij maar in bed gebleven. Jaan brengt hem met enkele woorden op de hoogte van het besluit van Hein en dan wil de boer uit diens eigen mond nog wel een keer horen dat hij het werkelijk meent.

„Je kent Mientje nu erg goed en ik neem aan dat je je realiseert waar je aan begint, Hein," zegt-ie en Hein knikt.

„Ik ken haar handicap, maar ik weet ook dat zij een erg lief karakter heeft."

„Maar ik neem aan dat je besluit toch mede is ingegeven door de wetenschap dat jij de boer op de Wilgenhoeve wordt als jullie getrouwd zijn."

„Dat kan ik niet ontkennen, baas." Hein moet een paar keer slikken, want de boer raakt wel een tere snaar.

„Goed, daar ben je dan in ieder geval eerlijk in," constateert Teun. „Dan heb je ook mijn zegen, jongen. Roep jij Mientje even, Jaan."

„Hein wil graag dat jij zijn meisje wordt, Mientje. Wat vind je daarvan?"

„Echt waar?" Mientje lacht en krijgt een kleur en kan alleen maar smachtend verliefd naar Hein kijken. De vraag van haar vader is ze kennelijk vergeten.

„Maar wil jij het wel, meissie?" De boer wil ook uit haar mond de bevestiging horen en die hoort hij, want Mientje knikt heftig en zegt dat ze niks liever wil dan dat.

„Ik wil heel graag het meisje van Hein zijn," zegt ze en dan vraagt de boer elkaar de hand te geven, maar een hand is voor Mientje niet genoeg. Ze slaat haar armen om de nek van Hein en zoent hem op beide wangen. „Vanavond gaan we echt zoenen," fluistert ze hem in het oor, maar haar gefluister is wat luid zodat beide ouders het kunnen verstaan. Ze glimlachen en als Hein haar ook een kus geeft, hopen ze maar dat alles goed zal gaan.

Die zaterdagavond zitten Hein en Mientje met de boer en de boerin in de mooie kamer van de Wilgenhoeve. Aard Pompe heeft Hein naar de villa gestuurd om Antje te berichten dat hij niet kan komen. „Zeg maar dat ik me niet goed voel," geeft hij de knecht als boodschap mee.

„De complimenten van Hein dat hij niet kan komen omdat hij zich niet goed voelt, Antje," brengt Aard de boodschap die hij meegekregen heeft, over.

„Wat mankeert-ie dan?" wil Antje natuurlijk weten en dan haalt Aard zijn schouders op.

„Ik weet het niet, Antje."

„Ligt hij in bed?"

„Nee, dat niet; hij heeft vanavond nog gewoon gemolken."

„En is-ie daarna ziek geworden?"

„Toen ik wegging had hij zijn goeie goed aan en ging hij naar de mooie kamer van de hoeve. Meer weet ik niet, hoor!"

En weg is Aard, Antje verbijsterd achterlatend. Ze staat als aan de grond genageld en kan even niet normaal denken, maar dan dringt de afschuwelijke werkelijkheid tot haar door. Hein is helemaal niet ziek, maar hij zit in zijn zondag-se pak in de mooie kamer van de Wilgenhoeve. Wat heeft dat te betekenen? Hij probeert haar maar iets wijs te maken. Hoe kan dat? Is hij gezwicht voor het grote geld? Is hij door de vader van Mientje omgekocht? Ruilt hij haar in voor Mientje van Meurs om boer te worden op de grote Wilgenhoeve? Ziet hij zijn kans schoon zijn langgekoesterde wens in vervulling te laten gaan? Het zijn allemaal vragen waar zij geen antwoord op weet, maar waarop zij wel een antwoord vermoedt. Zij barst in snikken uit en om de bewoners van de villa niets te laten merken vlucht zij het park in en gaat op een van de bankjes zitten. Uitgerekend op het bankje waarop zij zo vaak met Hein heeft zitten knuffelen en waarop hij haar eeuwig trouw gezworen heeft. Als waar is wat zij vermoedt, dan heeft Hein haar voor de gek gehouden. Hein, die smoorverliefd op haar is; hoe kan dat? Ze kan het nauwelijks geloven, maar als hij ziek is wat doet hij dan in zijn zondagse pak in de mooie kamer van de hoeve? Haar zakdoekje is inmiddels nat van de tranen, want haar wereld stort in. De jongen die zij boven alles en iedereen liefheeft, vrijt met malle Mientje. Gebroken gaat ze terug naar de villa en loopt, daar aangekomen, meteen door naar haar kamertje, waar zij zich snikkend op haar bed laat vallen. Die nacht duurt een eeuw. Zij ligt met open ogen in het donker te staren en besluit de volgende morgen naar de vroegmis te gaan. Als zij Hein in de kerk ziet zal zij het bewijs hebben dat hij tegen haar gelogen heeft.

Die zondagochtend vraagt de boerin of Hein haar en Mientje in de kapwagen naar de kerk wil rijden. Sinds Teun niet meer in staat is zelf te mennen en ook te zwak is nog naar de kerk te gaan, worden Jaan en Mientje door een buurman opgehaald. Nu Hein al zo'n beetje tot de familie behoort, valt hem de eer te beurt als een echte boer op de kapwagen met de dames erin naar de kerk te rijden. Hij zet ze bij de kerk af en stalt vervolgens paard en rijtuig alvorens zelf ook zijn plaats in te nemen.

In de kerk ziet hij aan de vrouwenkant Antje zitten en zijn hart krimpt ineen. Zij kijkt hem aan met een blik waarin verdriet en verwijt besloten liggen. Hij voelt zich een lafaard. Een ander moest de nare boodschap, verpakt in een leugen, aan haar overbrengen omdat hij er zelf het lef niet toe had. Wel een erg doorzichtige smoes om te laten vertellen dat hij zich niet goed voelde terwijl hij nu alweer gezond en wel in de kerk zit. Een leugenachtige lafaard is-ie!

De dienst gaat als in een roes aan hem voorbij. Het dringt niet tot hem door waar meneer pastoor het in zijn preek over heeft en hij gaat als een slaapwandelaar te communie. Als de mis afgelopen is, haast hij zich naar buiten om een confrontatie met Antje uit de weg te gaan. Alweer zoiets lafs!

Als hij even later met de kapwagen komt voorrijden, ziet hij haar nog op het kerkplein staan, maar hij doet net of hij haar niet ziet en laat de boerin en Mientje instappen. Gauw springt-ie op de bok en rijdt weg. Als hij omkijkt ziet hij zijn lieve meisje nog staan en hij schaamt zich diep. Hij voelt zich ellendig en een lafhartige verrader.

Het koffie-uurtje is die morgen extra feestelijk. Mientje heeft de dag ervoor bij de bakker taartjes gehaald en triomfantelijk komt ze ermee binnen. Ze schuift bij haar geliefde als eerste een taartje op zijn schoteltje en kijkt hem met een verheerlijkt gezicht aan, maar Hein eet er met lange tanden van. Als de boerin over de mooie preek van meneer pastoor begint zit hij met zijn mond vol tanden, want geen woord ervan is tot hem doorgedrongen.

„Heb je geen trek?" vraagt de boerin als Hein ook bij het goedverzorgde middagmaal maar heel weinig eet.

„Ik heb net een taartje op en dat vult ook nogal," verzint-ie maar. Onder normale omstandigheden zou zo'n taartje zijn altijd goede eetlust zeker niet wegnemen, maar de omstandigheden zijn niet normaal. Ook hier moet hij zijn toevlucht al tot een smoes nemen. De boerin vraagt niet verder, want zij vermoedt wel wat Hein dwarszit. Zij hoeft daarvoor alleen maar de knappe Antje Bennink te vergelijken met Mientje. Voor een gezonde jonge kerel is Antje wel een stuk aantrekkelijker dan haar wat achterlijke dochter. Zij dringt dus niet verder aan, maar Mientje wil zijn bord wel weer vol scheppen, doch Hein houdt haar tegen.

Hij is blij als hij na het eten even zijn middagdutje kan doen, maar, evenals de afgelopen nacht, kan hij de slaap maar moeilijk vatten. De hele dag loopt hij te piekeren en heeft hij medelijden met Antje. Met Antje, het meisje van wie hij zielsveel houdt, maar dat helaas geen cent bezit. De hele week blijft hij piekeren, maar hij neemt zich voor door te zetten. Hij moet Antje zien te vergeten en dat kan alleen door hard te werken en elk contact met haar te vermijden. Dat valt in het kleine dorp aan de Wijde Laak trouwens niet mee.

Wat ook niet meevalt is dingen voor de dorpsgemeenschap verborgen houden. Het is de dorpelingen al meteen opgevallen dat Hein met de kapwagen van de Wilgenhoeve naar de kerk kwam met Jaan en Mientje als passagiers. Hein had alle aandacht voor vooral Mientje, maar naar Antje, met wie hij toch verkering heeft, taalde hij niet.

Dit nieuwtje is spekkie voor het bekkie van de Toeter. Jans Faber heeft al snel wat vrouwen om zich heen verzameld als zij die ochtend boodschappen doet. „Nou Teun van Meurs niet meer op of neer ken, ziet Haain zaain kans schôn," zegt ze. „Haai vraait met malle Mientje en kaaikt naar môje Antje niet meer om.. Haain denkt ok; elke gek heb z'n gebrek, maar van 'n môj bord ken je niet ete. Geef 'm eens ongelaaik!" Maar de meeste vrouwen zijn het niet met haar eens. Het geeft geen pas alleen om de centen met malle Mientje te gaan vrijen en dan Antje in de steek te laten.

„Oh, daar komt Mie ok; die zal 't faaine d'r wel van wete," zegt Jans als ze de moeder van Hein ziet komen. Maar ze komen bedrogen uit, want Mie weet ook niet veel. Ze zegt van Hein wel gehoord te hebben dat Mientje een beetje gek op hem schijnt te zijn, maar van verkering weet ze niks af. Ze weet alleen dat haar zoon het op de Wilgenhoeve erg druk heeft en dat verklaart waarom hij het afgelopen weekeinde niet even thuis geweest is, wat hij normaal altijd wel doet en dan samen met Antje. In plaats van naar huis te gaan loopt ze even bij Toos Bennink aan om te vragen of zij weet wat er aan de hand is.

„Ik denk dat Antje en Hein wat ruzie hebben en ik maak me er niet al te druk om," zegt Toos. „Dat komt in een verkering wel vaker voor. Antje is de laatste dagen wel erg stil, maar ik denk dat het allemaal wel weer goed zal komen."

„Maar in het dorp wordt beweerd dat Hein zondag met de kapwagen van de Wilgenhoeve met Jaan en Mientje erin naar de kerk gereden is. Naar Antje, die op het plein voor de kerk stond, taalde hij niet. Ze beweren zelfs dat Hein verkering met Mientje heeft, maar dat geloof ik niet."

„Was Jans Faber erbij?" wil Toos weten.

„Ja, die had juist het hoogste woord."

„Als ik het niet dacht. Die kletst altijd naar dat ze verstand heeft."

Mie is het met Toos eens, maar ze vindt het toch een vreemde zaak en dat vindt Nard ook als-ie het hoort. „Ik ga even naar de Wilgenhoeve, want ik wil van Hein wel eens weten wat nou waar is en wat niet. Die kletswijven altijd!" Nard windt zich duidelijk op.

„In het dorp worden de zotste verhalen over jou en Mientje verteld; vertel jij mij nou eens wat er aan de hand is, Hein, want ik snap het niet meer." Nard kijkt hem strak aan.

„Ik ben oud en wijs genoeg om zelf te bepalen wat ik doe, hoor!" Hein voelt zich door zijn vader wat in het nauw gedreven en zet meteen zijn stekels op.

„Je bent oud genoeg, maar of je wijs genoeg bent weet ik zo net nog niet, tenminste als waar is dat jij verkering hebt met Mientje van Meurs."

214

„Dat is waar, maar nogmaals: dat zijn mijn zaken en daar hoeft niemand zich mee te bemoeien."

„Ik wil me ook nergens mee bemoeien, jongen. Als jij het met Mientje eens kan worden dan vind ik het best, maar realiseer jij je eigenlijk wel wat je doet? Hoe denkt Antje er dan over?"

„Dat weet ik niet."

„Weet je dat niet? Ze zal toch wel gereageerd hebben toen je het haar vertelde?"

„Ik heb het haar niet zelf verteld maar ik heb zaterdag Aard Pompe gestuurd om te zeggen dat ik niet kon komen."

„Jij moet de eer aan jezelf houden en naar Antje gaan om haar te vertellen wat je besloten hebt. Daar heeft dat meisje, met wie je al zó lang verkering hebt, recht op. Vind je zelf niet?"

„Ja, je hebt gelijk, pa; ik ga morgen naar haar toe." Nu zijn vader hem de spiegel voorhoudt beseft Hein eens te meer hoe laf hij gehandeld heeft. Natuurlijk heeft Antje er recht op te weten wat hij besloten heeft.

Het is een zware gang die hij de volgende morgen gaat, maar hij moet door de zure appel heen bijten. Meteen na het ontbijt gaat hij dus op weg naar de villa om met Antje te praten. Zover komt hij echter niet, want onderweg ontmoet hij haar. Ze is met een mandje aan haar arm op weg naar het dorp om boodschappen te doen voor mevrouw Van Beusekom. Hun ontmoeting wordt een erg krampachtige vertoning.

„Hallo, Antje," zegt hij zacht. „Ik wou je even zeggen dat ik niet meer kom; Mientje en ik zijn het eens geworden."

„Je doet maar," zegt ze stug en met een vuurrood gezicht loopt ze door. Als hij haar nakijkt ziet hij dat haar schouders schokken en dan weet-ie dat ze loopt te snikken. De pijn die hij voelt gaat als een steekvlam door zijn hart. Als hij naar zijn gevoel te werk zou gaan, zou hij haar achterna willen gaan, haar in zijn armen willen sluiten en haar zeggen dat het allemaal een misverstand is, een nare vergissing. Maar hij doet niks en blijft stokstijf staan. Hij moet op zijn lippen bijten om niet ook in snikken uit te barsten.

De weken gaan voorbij en Mientje klampt zich steeds meer aan Hein vast. Ze wil vaak knuffelen en kussen, maar Hein houdt het een beetje af. Als ze hem kust voelt dat wat klef aan. Erg kinderachtig is ze en pruilt als hij niet doet wat zij graag wil. Liefde voelt hij niet voor haar. Als hij trouwt, dan trouwt hij met een kind. Wat een verschil met de mooie en lieve Antje! De gedachte aan de ontmoeting met haar hangt hem als een molensteen om zijn nek. Nog ziet hij haar schokkende schouders en telkens springen ook bij hem de tranen in zijn ogen als hij eraan denkt. Haar verwijtende blik en de woorden 'je doet maar' kan hij niet van zich af zetten. Toch weerhoudt de wetenschap dat hij straks boer zal zijn op de grote Wilgenhoeve hem ervan de omgang met Mientje te beëindigen en terug te keren naar Antje.

Iedereen loopt te zweten, want het is broeierig heet. Donderkoppen aan de horizon wijzen erop dat er onweer op komst is.
Als het begint te bliksemen en het af en toe in de verte rommelt, wordt Mientje angstig. Van de boerin hoort Hein dat zij een panische angst heeft voor onweer. Ze zoekt dan ook steun bij hem als het onweer dichterbij komt en de donderslagen harder worden. Maar Hein heeft geen tijd voor haar, want de donkere lucht wijst op zwaar weer en hij weet dat er tijdens een bui zware windstoten kunnen voorkomen. Hij moet dan ook alles goed vastsjorren en als het onweer met felle lichtflitsen en knetterende donderslagen over het dorp trekt, zit Mientje als een kind te huilen met een duim in haar mond. Hein ziet het en hij schudt zijn hoofd. Zo heeft hij haar nog nooit gezien, maar dan wordt zijn aandacht getrokken door vuur en rook in de richting van de villa. Hij schrikt zich een ongeluk en zijn eerste gedachte is dat het daar ingeslagen is en dat er dus iets met Antje kan zijn gebeurd.

„Er is ergens brand en ik moet gaan kijken of ik kan helpen," zegt hij gejaagd, maar Mientje wil niet dat hij weggaat. Ze klampt zich aan hem vast, want ze is in paniek, maar Hein rukt zich los. Ook hij is in paniek maar om een andere reden. Hij denkt dat De Meerkoet in brand staat en hij heeft maar één gedachte: zo vlug mogelijk naar Antje, want die is mogelijkerwijze in gevaar. Het onweer woedt nog hevig en de regen komt met bakken tegelijk uit de hemel vallen, maar Hein hoort of voelt niets. Hij rent naar de villa, maar daar aangekomen ziet hij dat niet de villa, maar het boten-huis in brand staat. Hij staat er even verwezen naar te kijken en realiseert zich dan dat er met Antje niks gebeurd kan zijn en dus keert hij terug naar de hoeve.

Wat hij niet weet is dat Antje hem heeft zien komen. Zij stond voor het raam naar de brand te kijken toen zij plotse-ling Hein in de neergutsende regen voor de villa zag staan. Als Hein zich omdraait en wegloopt, blijft zij voor het raam staan en kijkt hem na. Zij is er vast van overtuigd dat hij dacht dat de villa in brand stond en dat hij zich zorgen maakte om haar. Waarom zou hij anders in de stromende regen, zonder enige beschermende regenkleding, naar de villa zijn komen rennen? Maar als hij zich zó om haar bekommert, waarom blijft hij dan bij Mientje? Ze kan er niet over uit en ze put er weer een beetje hoop uit dat nog niet alles verloren is, want Hein is nog geen minuut uit haar gedachten geweest.

De volgende morgen blijkt er van het botenhuis en de daar-in liggende boten niets anders dan verkoold hout en ver-wrongen staal over te zijn. Elders in het dorp zijn wat bomen ontworteld en bij een van de hoeven is het dak van een schuur gewaaid, maar persoonlijke ongelukken hebben zich niet voorgedaan.

Er gaan weer weken voorbij zonder dat er bijzondere din-gen gebeuren, maar dan vertelt Aard Pompe aan Hein dat zijn broer Wim met Antje Bennink gaat. „Ik dacht dat het je wel zou interesseren en daarom vertel ik het je maar," zegt hij. Hein wordt bleek en stamelt een bevestiging, maar er breekt iets in hem. Uitgerekend zijn kameraad Wim Pompe, zijn rivaal als het om Antje ging en gaat, verkeert met zijn lieveling. Hij kan het niet verdragen en beseft pas nu, dat het een grote vergissing van hem is te kiezen voor Mientje en Antje in de steek te laten.

„Wat zie jij bleek, voel je je wel goed?" vraagt de boerin als Hein na het melken het achterhuis binnenkomt.

„Het gaat wel, maar ik heb iets doms gedaan en ik moet even weg," stamelt-ie.

„Maar we gaan zo eten, hoor!"

„Ik heb geen honger."

„Je voelt je dus toch niet goed," concludeert de boerin, maar Hein schudt zijn hoofd en loopt naar buiten, de boerin verbaasd achterlatend. Na het melken valt Hein altijd hongerig op zijn stapeltje boterhammen aan, maar nu heeft hij geen honger en hij beweert toch niet ziek te zijn. Zij begrijpt er helemaal niets van.

Intussen loopt Hein zó in zijn kiel met zijn vuile broek en besmeurde klompen in de richting van het meer. Hij moet Antje spreken, maar hoe krijgt hij haar te pakken? Het is woensdagavond en om halfacht moet zij in het dorpshuis zijn voor een repetitie van de zangvereniging. Het duurt nog minstens een halfuur voordat ze naar het dorp gaat. Hij besluit te wachten, maar na een kwartier ziet hij Wim Pompe komen. Die komt Antje natuurlijk halen, want Wim is ook lid van de zangclub. Hij verschuilt zich achter een bosje, want hij wil door Wim niet gezien worden. Vanuit zijn schuilplaats kan hij de deur van de villa in de gaten houden en wat hij al vermoedde gebeurt ook. Antje komt naar buiten en geeft Wim een arm. Samen lopen ze de laan uit in de richting van het dorp. Hij zit te snikken en is ten prooi aan een hevige emotie. Wat moet hij nou doen? Het liefst zou hij Wim bij zijn kladden pakken en hem bij zijn lieve meisje wegsleuren en haar zeggen dat hij zich schromelijk vergist heeft. Maar dat kan hij niet doen zonder een stom en idioot figuur bij zijn kameraad te slaan. Hij kan de haren wel uit zijn kop trekken van spijt. De aanblik van zijn lieveling aan de arm van zijn rivaal kan hij niet verdragen. Het maakt hem gek van jaloezie. Mientje, de hoeve, het vee, de vele bunders land: ze kunnen hem gestolen worden als hij Antje maar weer in zijn armen kan sluiten.

Als de twee uit het zicht verdwenen zijn loopt hij doelloos rond. Hij kan er niet toe komen terug te keren naar de hoeve. Misschien komt Antje alleen terug na de repetitie, maar die mogelijkheid verwerpt hij onmiddellijk. Aard zei dat zijn broer verkering heeft met Antje en als je verkering hebt met een meisje dan laat je haar niet alleen teruggaan naar huis of in dit geval naar haar betrekking. Nee, de kans innig afscheid te nemen laat geen jongen zich ontgaan. Ook Wim zal dat zeker niet doen. De gedachte alleen al zijn schatje te zien in de armen van een ander maakt hem wild. Om negen uur is de repetitie afgelopen en komt ze terug. Hij besluit te wachten. Hij gaat zitten op een omgevallen boom, maar hij is te ongedurig om op één plek te blijven. Hij kuiert wat rond, maar houdt de villa in de gaten. Als de kerkklok negen slagen laat horen weet hij dat hij nog een klein half-uurtje geduld moet hebben. En zijn geduld wordt beloond, want ruim binnen die tijd ziet hij haar komen en natuurlijk is ze samen met Wim. Die heeft een arm om haar schouder gelegd en af en toe drukt hij haar innig tegen zich aan. Hein krimpt ineen van ellende en het wordt nog erger als ze bij de deur afscheid nemen. Hij moet zich afwenden om het niet uit te schreeuwen van woede en jaloezie. Als hij weer kijkt ziet hij Antje de deur sluiten en dan loopt Wim de laan in en komt zijn kant op.

„Ik schrik me rot! Waar kom jij nou ineens vandaan?" vraagt Wim als Hein plotseling van achter het struikgewas voor hem staat.

„Wat doe jij met mijn meisje, Wim?" vraagt Hein dan.

„Jouw meisje? Jij hebt toch verkering met malle Mientje?"

„Niks mee te maken; jij moet met je gore poten van Antje afblijven."

„Wat maak je me nou, man; donder op voordat ik je een dreun op je kop geef!" Wim neemt een dreigende houding aan en dan krijgt Hein een waas voor zijn ogen. Hij weet niet meer wat hij doet als hij zijn rivaal als een razende naar de strot vliegt. Hij krabt en beukt en schopt waar hij hem maar raken kan, maar Wim is een halve kop groter dan Hein en ook nog een stukje breder. Even is hij overdonderd door het roekeloze geweld van zijn kameraad, maar dan herstelt hij zich en slaat hard terug. Hij maakt zich vreselijk kwaad om de onredelijke aanval en beukt er met zijn harde vuisten zo ongenadig op los dat Hein in elkaar zakt en bewusteloos op de grond blijft liggen. Het bloed loopt uit zijn neus en er kleeft ook bloed in zijn haar. Even staat Wim besluiteloos naar de roerloze gestalte te kijken. Hij weet niet wat hij ermee aan moet. Hem laten liggen wil hij niet, dus pakt hij hem beet en sleurt hem naar de deur van de villa. Daar belt hij aan en gaat er zelf ijlings vandoor.

Als Johan van Beusekom de deur opent om te kijken wie er op dit uur nog een boodschap heeft, schrikt hij ervan een roerloze gestalte voor de deur te zien liggen. Als hij goed kijkt herkent hij in de gestalte de tuinman en vrijer van de dienstbode. Dat Hein gebroken heeft met Antje is hem niet bekend. Hij roept zijn vrouw en Antje en gezamenlijk dragen zij Hein naar binnen. Bij de aanblik van de bewusteloze Hein Buurma barst Antje in snikken uit. Met een doekje veegt zij het bloed uit zijn gezicht en staat er handenwringend bij. De paardenknecht wordt opgetrommeld om dokter Risseeuw te waarschuwen.

„Wat kan er met die jongen gebeurd zijn?" vraagt Johan van Beusekom zich hardop af. De twee vrouwen halen hun schouders op ten teken dat ze het niet weten, maar Antje heeft wel een vermoeden. Dokter Risseeuw woont dichtbij en is dan ook snel ter plaatse. Als de dokter binnenkomt komt Hein toevallig tot bewustzijn en wordt hij op een bed in een zijkamertje gelegd. Antje gaat mee. Dokter Risseeuw onderzoekt hem en constateert een lichte hersenschudding. Daarom vindt hij het raadzaam de patiënt voorlopig niet te vervoeren. Terwijl de dokter zijn hoofdwond verbindt kijkt Hein verward om zich heen en als hij het bezorgde gezicht van Antje ziet schaamt hij zich diep en wil hij zijn lieve meisje om vergiffenis smeken, maar in het bijzijn van de anderen durft hij dat niet.

Op de Wilgenhoeve maakt Mientje zich ongerust omdat Hein maar niet terugkomt. En zij is het niet alleen die ongerust is, ook de boerin maakt zich zorgen. Zij heeft Hein in een wat overspannen toestand weg zien gaan. Het leek eerder op een vlucht en zij vermoedt dat dat iets te maken heeft met zijn verkering met Mientje.
„Er is iets gebeurd wat Hein sterk aangegrepen heeft, Teun," zegt de boerin tegen haar man als ook die zich afvraagt waar Hein toch blijft. „Ik denk dat hij naar Antje gegaan is en dat dat te maken heeft met het verhaal van Aard Pompe dat dat meisje weer verkering heeft."
„We hadden die jongen niet in de verleiding moeten brengen, Jaantje. Hij ontkent het wel, maar hij heeft Mientje uitsluitend genomen voor de hoeve en nu komt hij kennelijk tot inkeer."
„Denk je dat echt, Teun?"
„Ik heb er steeds voor gewaarschuwd, vrouw. Mijn gevoel zegt me dat hij er niet meer tegenop kon en vanavond misschien wel gekke dingen gedaan heeft."
„Ik ben een eindje de weg op gelopen om te kijken of Hein al komt, maar ik zie hem nergens. Hij is nooit zo laat en hij heeft niet eens gegeten," zegt Mientje half huilend. Ze begrijpt er niets van en de boerin wil haar niet van streek maken door te vertellen wat zij en haar man ervan denken.

Intussen is Hein weer wat bijgekomen en dan komt Antje bij hem met een kroes water. Als hij haar ziet wil hij overeind komen, maar Antje drukt hem met zachte dwang terug in het kussen. „Je mag je niet bewegen van de dokter," zegt ze zacht, maar Hein trekt zich daar niks van aan en gaat recht-op zitten. Hij kijkt haar met een berouwvol gezicht aan en smeekt haar om vergiffenis. „Ik heb me zo vreselijk vergist; wil je me nog hebben, lieveling?" vraagt hij haar met tranen in zijn ogen en dan barst Antje in snikken uit en knikt heftig en bet zijn neus die weer is gaan bloeden.

„Heb je met Wim gevochten?" vraagt ze snikkend en als Hein knikt bezweert ze hem dat ze niks met die jongen heeft en alleen van hem houdt.

„Ik hou ook alleen maar zielsveel van jou, lieveling. Kun je me echt vergeven? Ik heb er zo'n spijt van dat ik je zoveel verdriet gedaan heb. Als jij maar bij me bent dan ben ik lie-ver boerenknecht en kunnen alle hoeven en land en vee me gestolen worden."

„Weet ik wel, lieverd, maar je mag je niet opwinden." Antje schudt zijn kussen op en drukt hem met zachte dwang weer terug. Ze aait hem over zijn verwarde haardos waar ook het verband van de dokter omheen zit en zegt zacht: „Domme jongen om zó te vechten om mij." En als hij wil reageren smoort ze zijn woorden in een lange en innige kus, maar als ze zijn mond loslaat zegt hij toch dat hij zal vechten en wer-ken om haar gelukkig te maken en nooit meer verdriet te doen. „En deze belofte zal ik houden; daar kun je op reke-nen, lieveling."

En hoe loopt het nu af? Om die vraag te kunnen beant-woorden moeten we de klok vijf jaar vooruit zetten en onze blik richten op de huiskamer van de Wilgenhoeve.

Daar trekt Nardje Buurma zich op aan de tafelpoot en zet zijn eerste wankele pasjes. Hij wordt door een stralende moeder Antje opgevangen.

Enkele jaren eerder is de oude boer Teun van Meurs aan een hartstilstand overleden en zijn uitdrukkelijke wens was dat het familiebezit zou worden beheerd door Hein en Antje als boer en boerin. Leen is inmiddels tot priester gewijd en benoemd tot kapelaan in een naburig dorp. Daar heeft hij zijn zus Mientje als huishoudster in de pastorie opgenomen. Moeder Jaan tobt met haar gezondheid en zij wordt liefdevol verzorgd in een rusthuis vlakbij de pastorie, zodat Leen een oogje op zowel zijn zuster als zijn moeder kan houden. Hein verkoos een leven als boerenknecht mits hij zijn geliefde Antje kon behouden. Hij behield Antje, trouwde met haar en zag zijn droomwens boer te zijn op een grote hoeve tevens in vervulling gaan. Hij, zijn vrouw Antje en de kleine Nardje vormen samen een heel gelukkig gezinnetje, dat binnenkort uit vier personen zal bestaan, want al heel gauw zal Hein de oude vroedvrouw Trees Vergunst moeten halen om Antje van haar tweede kindje te verlossen. Cor zal die heten als het een jongetje is en Toosje als het een meisje wordt. Zij kijken er met spanning naar uit.